古代淀江ロマン遺跡回廊ブックレット 1

淀江の遺跡の魅力と可能性

講演　水ノ江和同　同志社大学教授
対談　水ノ江和同　同志社大学教授
　　　吹野　博志　「古代淀江ロマン遺跡回廊」推進会議　共同代表

2021年5月29日　米子市淀江町さなめホールにて

はじめに

「古代淀江ロマン遺跡回廊」構想の推進会議は今年発足したばかりです。

淀江平野を取り囲む五百万坪に及ぶ広大な遺跡群の中には四つの国史跡が含まれています。さらにこの地域には生活を営む集落をはじめ、里山、大山の湧水、棚田、川、水車、神社などがあり、大自然と混然一体となって調和しています。

この歴史・文化遺産と自然をどう保存し活用していくか、今回の講演会を皮切りに、この分野におけるわが国最高レベルの先生方をお招きし連続講演会を企画しました。諸先生の講演に触発され、行政はもとより、皆様と建設的なご意見、アイディアを交換して具体的な計画へ、さらには経済・観光資産へと具現化させていきたいと思います。

第1回は同志社大学教授の水ノ江先生をお招きしました。コロナ禍の中でもあり、私たちにとって初めてのオンライン講演会となりました。米子市淀江町のさなめホールには約50名の地元の参加者が大型スクリーンで視聴され、水ノ江先生は京都からご講演を、推進会議の勝部、吹野は東京からご挨拶、対談をいたしました。地元の講演会場にて推進会議事務局長の足立が司会をいたしました。

すべてが初めての体験で不安でいっぱいでしたが、米子市の中海テレビ放送様の全面的な技術サポートにより成功裏に終わることができました。この場をお借りし、御礼申し上げます。

この連続講演会が刺激となり、「古代淀江ロマン遺跡回廊」の構想が21世紀の山陰地方、さらには我が国の目指すべき理想社会へとつながっていくことを心から願ってやみません。


「古代淀江ロマン遺跡回廊」推進会議　共同代表　**吹野博志**

目　次

主催者代表挨拶

勝部　日出男（推進会議共同代表）

進行役　皆さま、こんにちは。今日はお忙しいなか、「古代淀江の魅力と可能性」という講演会にご参加いただき、ありがとうございます。
ただいまから「古代淀江ロマン遺跡回廊推進会議」発足記念講演会を開催させていただきます。
改めまして、私は、「古代淀江ロマン遺跡回廊推進会議」淀江事務局の足立英市と申します。今日の進行役としてお付き合いいただきたいと思います。よろしくお願いいたします
それでは、「古代淀江ロマン回廊推進会議」共同代表の勝部日出男が東京からオンラインでご挨拶いたします。よろしくお願いいたします。

勝　部（共同代表）　皆さま、こんにちは。このようなコロナ感染拡大のもと、東京では緊急事態宣言が出ている中で、多数お集まりいただき、そして全国各地からオンラインでご参加いただき、本当にうれしく思っております。

さらに申し上げますと、今回のプロジェクトに対し、全国の、また地元の経済人を中心とした200人以上にものぼる方々に、発起人または会員として名前を連ねていただき、さらにそのお志をいただきまして、本当に感謝しているところであります。

ここに「古代淀江ロマン遺跡回廊」推進会議が正式に成立したことを宣言いたします。どうぞ、よろしくお願いしたいと思います。

それでは、これまでの経緯について、少しお話をしたいと思います。昨年10月に、米子市淀江町の産業廃棄物最終処分場の建設予定地内にある百塚88号墳という前方後円墳がその建設計画のために壊されることになり、古墳を記録として残すための発掘調査がおこなわれたという話を聞きました。それで、私たち東京におります鳥取県西部出身の経済人、東京淀江会のメンバーは、大変憂慮いたしました。貴重な歴史的遺産で

ある前方後円墳が姿を消すのは何とも惜しい。産廃建設計画と折り合いをつけて、建設予定地の一角に古墳を残すことはできないものだろうかと思い始めたわけです。

あらためて、淀江町を調べてみますと、実にたくさんの遺跡や古墳が存在していることがわかりました。本日ご講演をいただく水ノ江教授からもご説明があると思いますが、この地域には、縄文時代の鮒ヶ口《ふながくち》遺跡、弥生時代の稲吉角田《いなよしすみだ》遺跡や国史跡・妻木晩田《むきばんだ》遺跡、古墳時代の国史跡・向山《むこうやま》古墳群や石馬谷《いしうまだに》古墳、飛鳥時代から平安時代まで続いた国史跡・上淀廃寺《かみよどはいじ》跡、さらには平野の西側の壷瓶山にも古墳群があるそうです。この壺瓶山にむかってのびる小波丘陵にある百塚《ひゃくづか》古墳群は１２４基もある大古墳群、隣接する百塚遺跡は弥生時代から７世紀まで続く集落遺跡です。そして百塚88号墳は、小波丘陵に現存する唯一の前方後円墳であるという、格別の存在価値をもっているということも知りました。

時代を通じてこれほど遺跡が密集する地域は、日本でも珍しいということです。私たちは、この歴史的・文化的遺産を守り伝えてくれた先人達に、感謝したいと思います。それだけでなく、私たちは、淀江町にこのような豊かな歴史資産があるということを、もっと深く認識する必要があるのではないかと思います。

そして、その歴史資産を米子市や淀江町だけの宝とするのではなく、鳥取県、山陰、そして日本全国、ひいては海外にも広く知っていただきたい。また、その価値をみんなで共有し、それを楽しめる場所にしていきたい。先人が残したいにしえの生活の痕跡、そこから生み出されるロマンをぜひみなさまと分かち合いたいということから、「古代淀江ロマン遺跡回廊」というネーミングにいたしました。

私たちは、この貴重な文化遺産を経済的・観光的な資産にも高めていくことができると考えています。それを地元の方々と語りあい、行政とも話しあって、着実に進めていきたい。そうした構想を、昨年12月に、米子市長と鳥取県知事に提言いたしました。

こうした私たちの願いに対して、たくさんの方々からご賛同をいただき、「古代淀江ロマン遺跡回廊」推進会議の発起人や会員になっていただきましたことは、本当にうれしい限りであります。

また、本日の講演会の開催にあたりまして、ボランティアとして十数名の方にお手伝をいただき、さらには中海テレビ放送のスタッフの方々にもご協力いただき、感謝いたしております。

今後の展開については、後で水ノ江先生と吹野共同代表との対談の中で明らかになっていくと思いますけれども、私たちは、こうした取り組みを着実に一歩一歩進めてまいりたいと思います。ぜひ皆さま方のお知恵とお力をお与えいただきまして、一緒にこのプロジェクトを進めてまいりたいと思っております。皆さまのご支援ご指導ご鞭撻を心からお願いいたしまして、私の挨拶とさせていただきます。本当にどうもありがとうございました。

進行役　どうも、ありがとうございました。このコロナ禍のなか、オンラインで東京からの挨拶と、京都の先生の講演、そして地元淀江での視聴という、今まで経験したことのない形で講演会ということで、私たちもドキドキしていますけれども、これからはこういうふうにリモートで繋がって、皆さまとどこででもいろんな意見を交わすことができるということに慣れていくのだろうと思います。

それでは、これより記念講演に入りたいと思います。最初に、本日の講師の先生を紹介させていただきます。水ノ江和同先生は、１９６２年福岡県のお生まれです。子供の頃から考古学に興味を持たれ、著名な考古学者であった森浩一先生に憧れて同志社大学に入学され、森教授のもとで考古学を学ばれました。ご専門は縄文時代です。大学を卒業後、福岡県教育委員会、九州国立博物館、文化庁を経て、現在は同志社大学で教鞭をとる傍ら、同志社大学文化財保護研究センター長も務めておられます。

多忙を極めた文化庁時代に縄文時代の研究で博士号を取得され、また、２０１４年にはご著書『九州縄文文化の研究~九州からみた縄文文化の枠組み』で日本考古学協会奨励賞を受賞されており、学術研究においても高い評価を得ておられます。

先生は長らく文化庁におられ、全国の遺跡の保存や整備を指導しておられました。全国の遺跡を見て歩かれた先生がごらんになって、今日は淀江の遺跡にどのような魅力や可能性があるのか、大変興味深いお話が聞けるのではないかと、今からワクワクしているところでございます。皆さまじっくり視聴してください。

それでは水ノ江先生、よろしくお願いいたします。

水ノ江　和同《かずとも》先生のプロフィール

1962年	福岡県門司生まれ
1982年	同志社大学　文学部文化学科文化史学専攻
1988年	同志社大学大学院　文学研究科（博士課程）
1988年８月	福岡県教育庁文化財保護課（大学院中退）
1995年	福岡県教育庁教育事務所生涯学習課
2000年	九州国立博物館準備室（福岡県職員として）
2005年10月	九州国立博物館開館
2006年４月	文化庁記念物課
2018年４月	同志社大学文学部

記念講演「淀江の遺跡の魅力と可能性」

水ノ江　和同・同志社大学教授

1．はじめに

大変丁寧にご紹介いただきました。改めて、同志社大学文学部の水ノ江です。今日は、「淀江の遺跡の魅力と可能性」というテーマでお話させていただきます。話は３部構成で（図１）、まず「古代淀江ロマン遺跡回廊」という皆さまが今進めようとしている構想がどういう位置にあるのかということを、文化財保護法から見るとどうなのかを考えてみたいと思います。次に、前方後円墳の意義、最後に遺跡の活用、と進めていきたいと考えています。

　まず、私が今日どうしてこの淀江のことについてお話させていただくことになったかというと、私の経歴が大きく関係していると思います。さきほどご紹介いただきましたように、私は福岡県で生まれまして、小

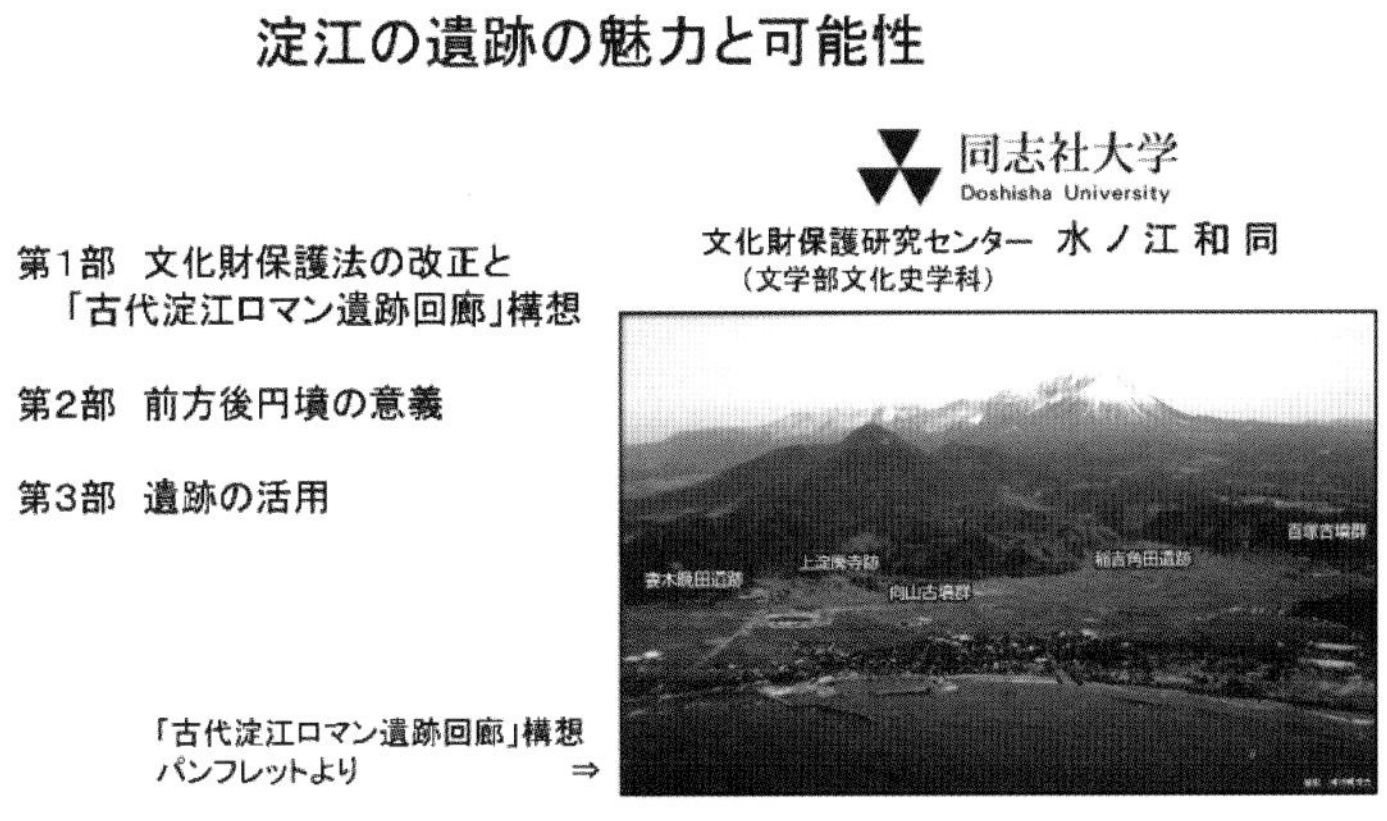
淀江の遺跡の魅力と可能性
同志社大学
Doshisha University
文化財保護研究センター　水ノ江和同
（文学部文化史学科）
第1部　文化財保護法の改正と
「古代淀江ロマン遺跡回廊」構想
第2部　前方後円墳の意義
第3部　遺跡の活用
妻木晩田遺跡
上淀廃寺跡
向山古墳群
稲吉角田遺跡
百塚古墳群
「古代淀江ロマン遺跡回廊」構想
パンフレットより
⇒

図１

学生の頃から考古学が大好きでした。そういう子どもを業界用語で〝考古ボーイ〟といいます。それで同志社大学におられました森浩一先生に憧れて同志社大学に進学しました。同志社大学の大学院修士課程を出まして、博士課程まで進学したところでご縁があり、福岡県の文化財保護課に就職し、遺跡の発掘調査の専門職員として採用されました。それを7年間やって、その後生涯学習課に異動しまして、文化財全般～建造物とか天然記念物、無形民俗、美術工芸品など、文化財全体を生涯学習の中でどうやって活かしていこうかという仕事をやることになりました。

その後、福岡県の太宰府市に九州国立博物館ができることになり、その準備室が西暦２０００年（平成12年）に設置されました。国立博物館ですが人と予算の3割は福岡県が出資しています。私はその関係で福岡県から出向のような立場で、常設展示の全体と、それから特に旧石器・縄文時代の展示を個別に担当することになり、九州国立博物館は２００５年10月に開館を迎えました。

開館後また縁がありまして、今度は東京の霞が関にあります文化庁記念物課に移ることになりました。その時は、福岡県職としての地方公務員は退職し国家公務員になりまして、文化庁の埋蔵文化財部門で遺跡の保護をずっと12年間、世界文化遺産の仕事などもありました。さらに縁がありまして、２０１８年4月から母校であります同志社大学に着任しました。今度は国家公務員を退職しまして、私立の大学の教員ですから完全に民間人ということになります。地方公務員と国家公務員と民間人を経験した人は、そういないのではないかと思っております。

そういう経緯で、30年公務員をやっていたということもありまして、考古学が専門ですけれど、文化財保護も私の教育と研究の中のもう1本の大きな柱としてあります。そこが今回、この淀江の遺跡・文化財のことについてお話させていただく契機になったと考えております。

2. 文化財保護法について

最初に少し前段ということで、おそらく皆さまは文化財保護法をあまり見られたことがないと思いますが、今日の話はやはりここが原点だと考えます。我々は法律に基づいて物事を進めていかないと、いろいろな思いとか経緯というのも勿論重要ですが、まずやはり法律はこうだというところを最低限把握しておきたいということで、前段にこれをお話しておきます。少し堅い話ですが、おつきあいください。

文化財保護法は、現在２０３条まであります。途中でなくなった条文もありますが、総則の１条・３条・４条は、１９５０年（昭和25年）に文化財保護法が設定されて以降、変わっておりません（図2）。この第一条は、すごく素晴らしい条文です。「この法律は文化財を保存し、且つ、その活用を図り」とあります。これは意外に知られていませんが、文化財保護というとその「保護」という字が「守る、保存」というイメージと直結していると思われがちです。しかしこの第一条の文章を見ていただくとわかるように、保護というのは「守る・保存」するだけではなく、「活用」もするのです。保存と活用をやって初めて文化財保護なのです。ですから、保存だけすれば良い、活用だけすれば良いという問題ではなくて、一緒にやるということが、実は70年前に文化財保護法ができた時から書かれ

文化財保護法を考える

第一章　総則

（この法律の目的）

第一条　この法律は、文化財を保存し、且つ、その活用を図り、もつて国民の文化的向上に資するとともに、世界文化の進歩に貢献することを目的とする。

（文化財の定義）

第二条　この法律で「文化財」とは、次に掲げるものをいう。以下省略

文化財保護 ＝ 保存 ＋ 活用

図2

ていたということです。「もって、国民の文化的向上に資するとともに、世界文化の進歩に貢献することを目的とする。」大変崇高な理念ですね。第２条は定義なので、割愛しておきます。

　第３条は、さらに堅い文章ですが、今度は政府と地方公共団体、行政機関の任務が規定されています（図３）。「将来の文化の向上発展の基礎となすものであることを認識し、その保存が適切に行われるように」とあります。「将来の文化の向上発展の基礎」とは、簡単にいうと、文化財の保護というのは目先の問題ではなく、長い将来を見越してしっかり保存と活用をやっていきましょうということを言っている文章です。

（政府及び地方公共団体の任務）
　第三条　政府及び地方公共団体は、文化財がわが国の歴史、文化等の正しい理解のため欠くことのできないものであり、且つ、将来の文化の向上発展の基礎をなすものであることを認識し、その保存が適切に行われるように、周到の注意をもつてこの法律の趣旨の徹底に努めなければならない。

将来のことを考えて文化財を保存する！

図３

　そして第４条は、もっと堅い文章です。今度は、国民と所有者等の心得ということで、「文化財が貴重な国民的財産である」、文化財は国民のものだということをここで謳っているわけです（図４）。

　世界的にみると、日本以外の国にも文化財保護法のような法律はどこの国にもありますが、「国民のもの」ということを明確に書いているのは、実は日本だけなのです。これは意外に知られていないことです。ほかの国では考古学研究に資するものだとか、あるいは国家のものだとはっきり書いています。日本はそうではなくて国民のもの、みなさんのものということを謳っています。最後に、「関係者の所有権その他の財産権を尊重しなければならない。」何でも保護すれば良いというものではなくて、やはり財産権や所有権、個人の尊厳を尊重しましょうと言っています。日本国憲法の精神がここに反映されていると言われています。個人の尊厳を非常に重視して慎重に扱う日本という国は、文化財保護法の中にも、そういうものが現われているると考えてよいと思います。

（国民、所有者等の心構）
第四条　一般国民は、政府及び地方公共団体がこの法律目的を達成するために行う措置に誠実に協力しなければならない。
2　文化財の所有者その他の関係者は、文化財が貴重な国民的財産であることを自覚し、これを公共のために大切に保存するとともに、できるだけこれを公開する等その文化的活用に努めなければならない。
3　政府及び地方公共団体は、この法律の執行に当つて関係者の所有権その他の財産権を尊重しなければならない。

下線部分は日本独自の考え方！

図４

３．「古代淀江ロマン遺跡回廊」構想について

文化財保護法のことをまず念頭に置いて、第1部「古代淀江ロマン遺跡回廊」を考えていきたいと思います。それを考えるにあたって、つい最近、２０１９年に文化財保護法が改正されたことに触れておきます。改正の目的は、先ほどお話しましたように、文化財保護法には保存と活用を一緒にやりましょうと書いてありますが、文化財保護というと保存のイメージが強すぎるため、もっと活用を目に見えるようにしましょうということで、法律の条文にそのことが盛り込まれました。文化財保護法の第１８３条に追加の条項が入りました。

日本政府としては、インバウンドですね。いまはコロナで止まっていますけれど、観光立国という一つ大きな目標がありまして、多くの外国の方に来ていただくにあたって日本の文化・文化財・歴史を観光の一つの資源に使おうという大きな施策が示されてありまして、この文化財保護法の改正もおこなわれることに

第1部　文化財保護法の改正と「古代淀江ロマン遺跡回廊」構想

文化財保護法の改正（2019年4月から）

☆改正のポイント

① 都道府県における**大綱**の策定
（法183条2）

② 市町村における**地域計画**の策定
（法183条3）

③ 文化財保護部局を
教育委員会から首長部局へ
（地方教育行政法第23条）

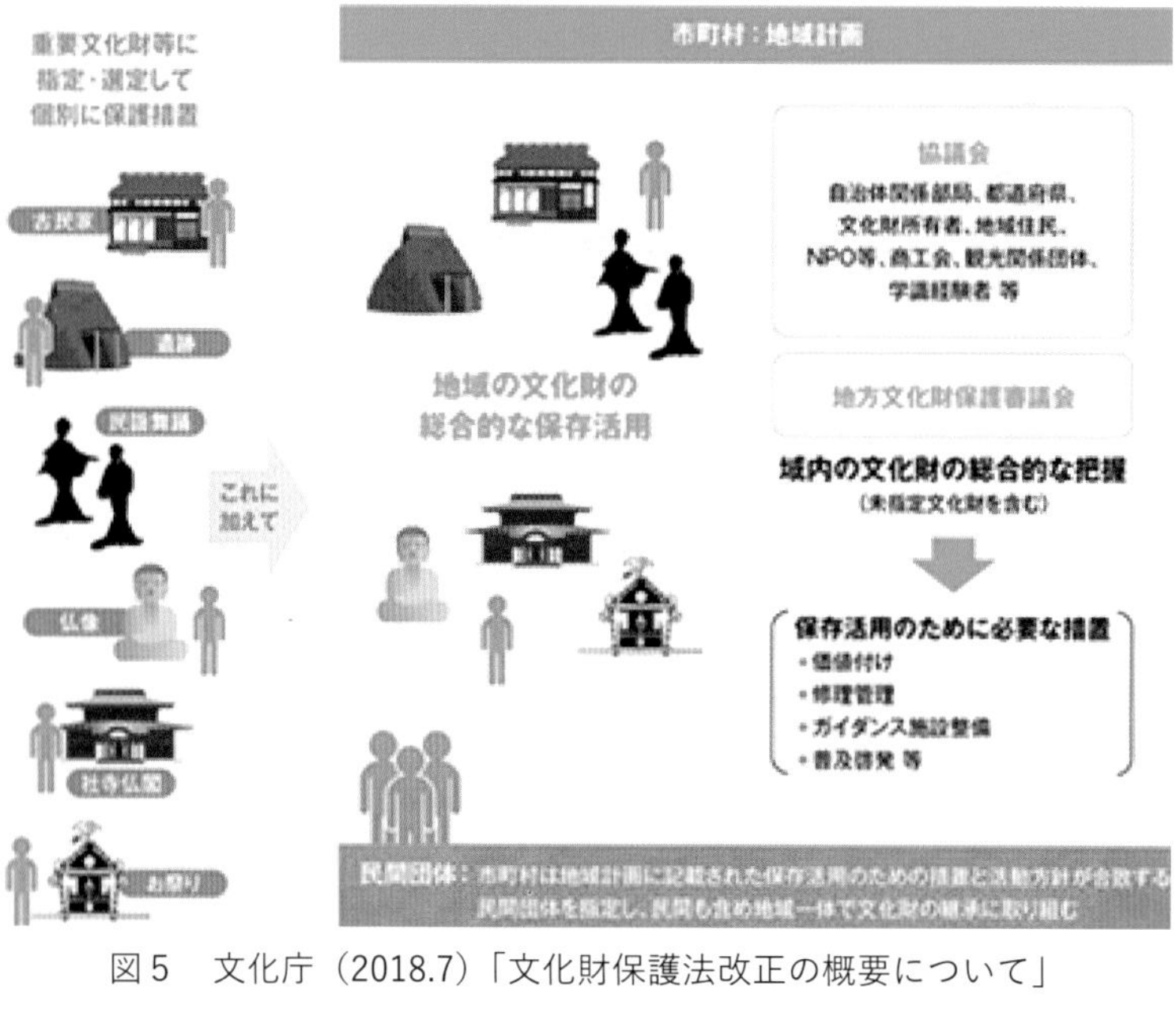

図５　文化庁（2018.7）「文化財保護法改正の概要について」

なったわけです。

改正のポイントが幾つかあります。図5で3つ挙げておりますけれど、今日は特に上の2つ、都道府県における「大綱」の策定と、市町村における「地域計画」の策定について説明したいと思います。

もう一つ、本当は大きな改正点として、文化財保護部局を教育委員会から首長部局へ移しましょうというのがありますが、今日は本題ではないので、これはやめておきます。

図6は、文化庁が示している、よく使われるポンチ絵です。今回の改正の要点である、都道府県が作る「大綱」は、鳥取県でも作られています。鳥取県は横に細長くて、伯耆国と因幡国があり、それによっても地域性があって、いろいろ文化とか文化財の様相が違います。さらにその中でも東部と西部、北部と南部、山沿いとか海辺とかいろいろな分け方によって、またそれぞれの地域性がある。都道府県は、そういう大きな地域性、枠組みを総合的に高所大所の観点からとらえましょうという話です。市町村は、どうしても行政区と

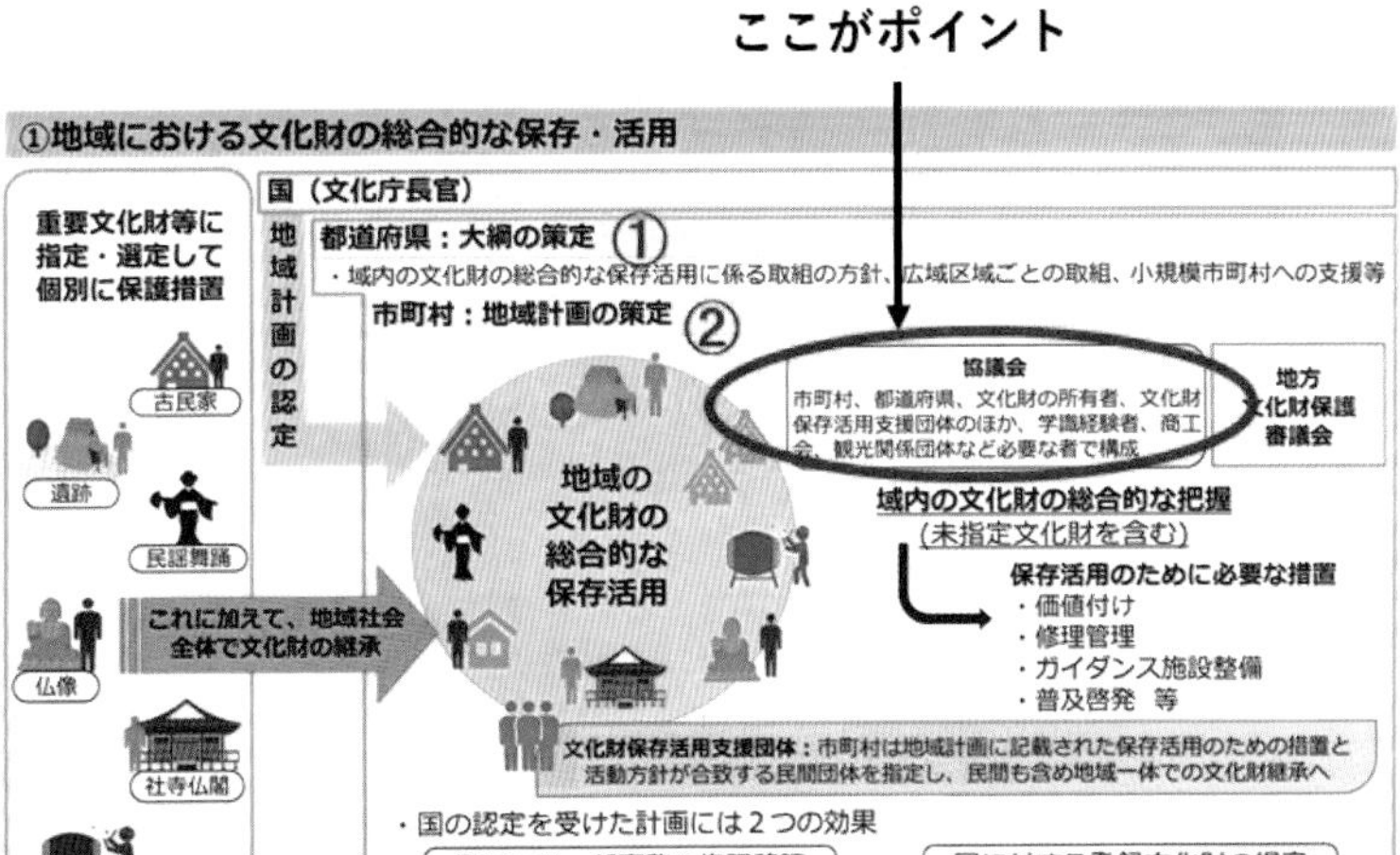

図6　文化庁（2018.7）「文化財保護法改正の概要について」に加筆

いう所で動くものです。しかし、文化と文化財の広がりは、必ずしも市町村の行政の区画・領域とは一致しません。はみ出る場合がほとんどですから、そういうことをきちんと県の方で大きく見て進めていきましょうという考え方です。「地域計画」は、市町村が地域地域で文化財の在り方を総合的に見て保護の方向性を策定しましょうということです。

ここでポイントになるのは、赤い楕円形で囲んだところです。「地域の文化財の総合的な把握」とは、文化庁も以前から「歴史文化基本構想」としてこの考え方を打ち出していたのですが、ここに書いている「未指定文化財も含む」というのは、今までは国指定史跡、県指定、市町村指定、最近は国の登録文化財というのもありますが、そういう法律とか条例の枠組みから外れ、指定されてないものも一緒に入れて保護しないと、その地域全体の歴史と文化は語れない、指定物件だけでは語れないということです。

ですから、未指定も含めて地域の文化財、歴史文化を総合的に把握していきましょう、そういう計画を作

③　文化財保護部局を教育委員会から首長部局へ
（地方教育行政法第23条）

平成29年12月８日
「文化財の確実な継承に向けたこれからの時代にふさわしい保存と活用の在り方について」（第一次答申）では警鐘を鳴らす！

「今後とも、文化財保護に関する事務を教育委員会が所管することを基本とすべき」とした上で、首長部局へ移行する場合は、4つの要請を提示。

(1)「専門的・技術的判断の確保」
(2)「政治的中立性，継続性・安定性の確保」
(3)「開発行為との均衡」
(4)「学校教育や社会教育との連携」

⇒　法190条の地方文化財保護審議会の設置規定に繋がる

図７

りましょうというのがこの「地域計画」の大きなポイントになるわけです。

「古代淀江ロマン遺跡回廊」構想のパンフレットは、皆さまもお持ちですか。コンパクトによくまとめられているパンフレットだと思います。この中でもいろいろと、淀江の主要な遺跡が挙げられています（図8）。縄文時代の鮒ケ口《ふながくち》遺跡、弥生時代には妻木晩田《むきばんだ》遺跡というすごく重要な遺跡があります。妻木晩田遺跡は国指定史跡ですが、内容的にはもう国の特別史跡になっても良いと思います。それから、よくお目にかかる弥生時代の絵画土器が出土した稲吉角田《いなよしすみだ》遺跡。古墳時代は向山《むこうやま》古墳群、これも国指定史跡です。石馬谷《いしうまだに》古墳にあったという石馬は国の重要文化財です。そして今回注目されております百塚《ひゃくづか》古墳群。さらに古代になりますと上淀廃寺《かみよどはいじ》跡。これも非常に重要な遺跡ですね。国指定史跡になっていますが、仏教壁画の類、それから本来あった仏像の類は、国の重要文化財になっても良いものだと見ております。そして案外皆さまご存じないかもしれませんけれど、幕末期の鳥取藩台場《とっとりはんだいば》遺跡・淀江台場《よどえだいば》跡も、当時の日本の海外対応の政策を考える上では欠くことができない重要な遺跡であり、国の史跡です。

先ほど勝部さんのご挨拶にもありました、旧石器時代からずっと人が住んでいる非常に重要な地域ですけれど、特に半径1キロの範囲に国指定史跡が4つもあります。これはもう、私としてはただただ驚きです。

国の指定史跡というのは今全国で1、900件近くあります。日本の市町村の数は1、718、東京23区を入れると1、741になります。単純に考えると国指定史跡は、1市町村に1件、多い所で2件ぐらいしかないというのに、それが淀江には4つもあるわけです。いま国指定史跡が1、900件近くあると言いましたけれど、実際に国指定史跡を持っている市町村は、500ぐらいしかありません。1、200ぐらいは国指定史跡がない。

どうしてかというと、淀江に4つもあるから、ほかの所が欲しくてもないわけです。贅沢すぎるくらい、

「古代淀江ロマン遺跡回廊」構想

【縄文時代】　鮒ヶ口遺跡
【弥生時代】　稲吉角田遺跡、**妻木晩田遺跡**
【古墳時代】　**向山古墳群**、**石馬**、百塚古墳群
【古代】　**上淀廃寺跡**、仏教壁画
【近世】　**鳥取藩台場跡淀江台場跡**

★　半径1km内に国指定史跡が4つ！
★　遺跡から淀江の歴史と文化を語る！
★　地域計画の一つのモデルになる！

図８　「古代淀江ロマン遺跡回廊」構想パンフレットより

淀江町の主な遺跡

【旧石器時代】 **中西尾**でヤリの先につける尖頭器、**小波**の原畑遺跡でナイフ形石器が出土している。いずれも隠岐の島でとれる黒曜石で作られたもの。２万年前ごろのものか。

【縄文時代】 **鮒ケ口遺跡**では、圃場整備の工事中に大量の土器や石器が出土した。そのなかに縄文時代前期（6500年前頃）の九州の土器が含まれており、この頃から九州地方と交流があったことがわかった。その他、大量の土器、石器、木器が出土した**富繁《とみしげ》渡《わた》り上《あが》り遺跡**（前期）、赤漆の櫛２点が出土した河原田A遺跡（後期・晩期）などがある。

【弥生時代】 **稲吉角田遺跡**（中期　約2000年前）は数人が漕ぐ船と、望楼のような高い建物などが描かれた弥生土器が出土し、佐賀県吉野ヶ里遺跡で復元された「望楼」の参考資料となった。**妻木晩田遺跡**（後期　１～３世紀）は、国内最大級の集落と、山陰特有の四隅突出型墳丘墓を含む墳墓群からなる遺跡。平野部にも、前期の環濠集落と推定される**今津岸の上遺跡**、妻木晩田遺跡の直前の集落である**晩田遺跡**（中期）、土器作りの粘土を採掘した穴が多数みつかった**福岡遺跡**などがある。

【古墳時代】 町内には、国史跡の**向山古墳群**のほか、**晩田山古墳群**、**城山古墳群**、**中西尾古墳群**、**井《い》手《で》挟《ばさみ》古墳群**、**壺瓶山《つぼかめやま》古墳群**など、多数の古墳が存在する。鳥取県には13,486基の古墳・横穴墓があり（H28年度文化庁統計）、米子市に所在する1,130基の古墳・横穴墓のうちの414基が淀江町にある。そのうち、前方後円墳は約60基で、そのほぼ半数が淀江町に所在する。その多くは後期（６世紀）の築造で、切石造りの巨石をもちいた横穴式石室がこの地の特徴。国史跡の**向山古墳群のうち、１号墳**（**岩屋古墳**）は巨石を用いた複室構造の切石造り横穴式石室。**５号墳**（**長者ケ平古墳**）では、金銅製冠など豪華な副葬品が出土した。**石馬谷古墳**にあったと伝えられる**石馬**は、九州北部に独特なもので、九州以外にある唯一の例として国重要文化財。また、古墳の他に、四十九谷横穴墓群などの横穴墓も築かれている。集落遺跡としては、**百塚遺跡**があり、弥生時代中期から７世紀にいたる時期の竪穴建物跡332軒、掘立柱建物跡147軒がみつかっている。

ここに国指定史跡がたくさんある。国指定史跡というのは日本の歴史を語るうえで欠くことのできない遺跡だという評価のもとに、国で重要だということで指定して史跡になりますので、本当に非常にランクが高い遺跡です。それが、こんなに集中している所というのは、たぶん日本の中でもベスト20とか30ぐらいのレベルで集中していると思います。

つまり、この遺跡群から淀江地域の歴史が語られる。特に古代までは非常に濃く語られるという所、それ以外、中世と近世も幾つか遺跡があると聞いていますので、そういう遺跡でここの歴史を語る、それが日本列島全体で見てもかなりクオリティの高い地域なのだというところを、最大限評価すべきだと思います。

これは先ほどお話した「地域計画」の策定、この地域の歴史を未指定のものも含めて歴史と文化を総合的に把握しようというのを、ここでは遺跡だけである程度説明できる。もちろんこれに建造物とか無形民俗とか合わせればもっともっと豊かになりますが、淀江は遺跡だけで十分クオリティ高く、濃く説明できるという、「地域計画」の一つのモデルケースになります。

そういう意味では、今回のこの「古代淀江ロマン遺跡回廊」構想は、非常に的を射た、時流に合ったものだと、私は見ております。

4. 百塚88号墳について
～前方後円墳の評価をめぐって

第2部は前方後円墳についてです。いま日本の方でしたら、前方後円墳と言えば、だいたい円と四角がくっついた鍵穴状の古墳時代の大きな墓だということは、あらかたご存じだろうと思います。

この前方後円墳は、大変大きいものがあるので、その地域の為政者、首長とかそういう突出した立場の人のお墓だということは、以前から言われていました。全国に5、000基近くあるとされる前方後円墳が、それぞれにどういう関係性にあるのかということについても、さまざまな説があります。

ところで、日本は1960年代の終わり頃からいわゆる高度経済成長期に入りました。そして、新幹線を造ろう、高速道路を造ろう、住宅団地を造ろう、大きなビルを建てようという、国土全体が開発の方向に進みました。1972年に田中角栄さんが書いた『日本列島改造論』という象徴的な本が出て、そういう開発が1970年代にさらにたくさん始まりました。

それらの開発予定地には、遺跡や古墳がたくさんありました。残念ながら、まだ遺跡保護の意識が低く、体制も未整備であったため、なくなった古墳も少なからずありました。開発事業でどうしても遺跡を壊すしかないという場合には、壊す前に発掘調査をして、せめてどういう遺跡であったのかという記録を残す「記録保存」のための発掘調査が必要となります。したがって、発掘調査がもの凄い勢いで増えていきました。

そういうなかで、たくさんの前方後円墳も発掘調査されました。失われた前方後円墳も少なくありませんでした。しかし、発掘調査によって大変多くの成果が得られ、それに基づいて考古学研究が大きく進んだことも事実です。それによって1990年頃から前方後円墳の評価が急激に変わりました。というよりも、明らかになってきたということですね。

図9の下図の「古墳の秩序」というのは、1989年、大阪大学におられた都出比呂志先生が提示された一つ

の考え方です。古墳というのは前方後円墳、前方後方墳、円墳、方墳、この4つのパターンでほぼ99％以上の形は網羅されますが、これが大きなものから小さなものまでそれぞれあって、その中でも前方後円墳が突出して大きいわけです。それを全国の中で見ていくと近畿地域、その中でも、現在の奈良県と大阪府に集中します。特大の200メートル以上の前方後円墳がいくつも集中する。それ以外の地域を見るとやや小さいですね。さらにこの奈良・大阪地域の前方後円墳は、副葬品も質・量共に突出して優れている。そういう副葬品とか古墳の規模を見ると、やはり奈良・大阪地域が当時の日本列島の中で中心的な存在ではないか。よく言われる「ヤマト政権」は実在するのではないか。そして地方にも北は岩手県や秋田県、南は鹿児島県まで前方後円墳が存在する。「用意、ドン」で、前方後円墳が日本列島に一斉に造られる。みんなが同じ古墳の形を造るわけでして、そこにはやはり何らかの規制というか、ヤマト政権からこういう古墳を造りなさい、こういうサイズで造りなさいという指示・命令があったのではないか。つまり、この前方後円墳という形を通じて当時の政治的関係、社会的関係、中央と地方の関係などを目に見えるようにした墓制形態ではないかということを言われました。こういう捉え方を「前方後円墳体制」とも言います。そういう説明をしていく

第2部　前方後円墳の意義①

○　古墳は墳形と規模は身分と出自を表す

○　墳形・規模と副葬品の質・量の優位性は古墳時代通じて畿内（奈良・大阪）に集中

○　<u>ヤマト政権と地方首長との政治的関係性を可視化した墓制形態</u>

○　前方後方墳はヤマト政権との複雑な関係性を示す象徴

○　文献史学による古墳時代社会論が1990年代以降、考古学によってより深みと説得力のあるものに転換

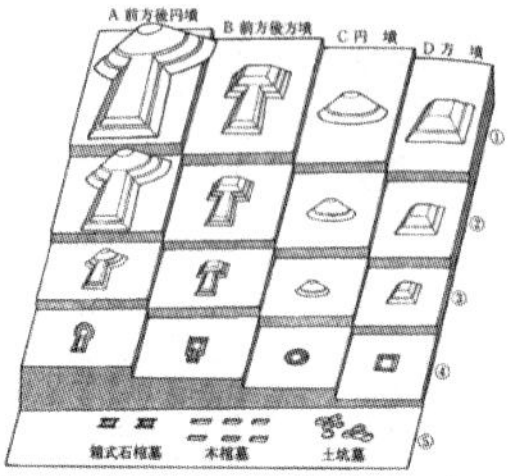

都出比呂志1989「古墳の秩序」（『日本農耕社会の成立過程』岩波新書）

図9

と、今まで考えられていた古墳時代のことがいろいろとうまく説明できるようになりました。

たとえば、埼玉県の稲荷山《いなりやま》古墳から出土した鉄剣に、日本風の漢字で銘文が彫ってありました。また、熊本県の江《え》田《た》船山《ふなやま》古墳では鉄刀にはやはり同じように銘文が彫ってあって、どちらも中央のヤマト政権の雄略天皇（大王）と言われていますが、中央と地方、東西のあり方という関係性、上下関係みたいなところが書かれているわけです。

そういうことを含めて、前方後円墳の存在自体が当時の古墳時代の日本列島全体の政治体制を、目に見えるようにしたのだと言われだしました。それで急激に古墳時代の研究が進んでいきます。

図9の一番下にも書いておりますが、それまではどちらかというと古墳時代の体制の研究は、文献史学の方たちが『日本書紀』や『続日本紀』などを見ながら、古代から古墳時代へ遡る形で、律令体制の前段階みたいな感じで、古墳時代のあり方を想定していました。それが、１９９０年代以降は、考古学の研究者が考古学的資料だけで古墳時代を語れるようになってきました。

ただ、前方後方墳は、特殊な形態です。いろいろな研究者がいろいろな言い方していて、まだみなさんが共通して認める評価には至ってないのではないかと、私は思っています。大きなのもありますけれど、前方後円墳ほどは大きくない。これも全国にあります。ただ、古墳時代の前期でほぼ終わります。前期でなくなるので、それをどう評価するかがまた難しく、これからの課題だと思いますが、なぜかこの山陰地域には古墳時代の後期まで残ります。これが不思議です。やはりヤマト政権と山陰には、特別な関係性があったのではないか。古墳の墳形で、こうした政治的な関係が見えるだけに、前方後方墳が後期まで残るというこの山陰の特殊性は、これからもう少し研究して解明すべき内容かと思います。

この「古墳の秩序」がどれぐらい重要か、認知されているかという一つのメルクマールとして、この都出先生の考え方は高校の日本史の教科書にも掲載されています。実教出版の２０１８年『日本史Ｂ新訂版』では、この「古墳の秩序」の図がそのままの使われています（図10）。

「古墳の秩序」は、いまや歴史教育の常識

高校の日本史の教科書
（実教出版 2018『日本史B新訂版』）

古墳には、平面形からみて前方後円墳・前方後方墳・円墳・方墳などがあり、それぞれにさまざまな規模のものが存在する。墳形の形と規模で被葬者の地位や権力の大きさを示す仕組みが生まれ、日本列島の広い範囲に及んだことが、この時代の大きな特徴である。

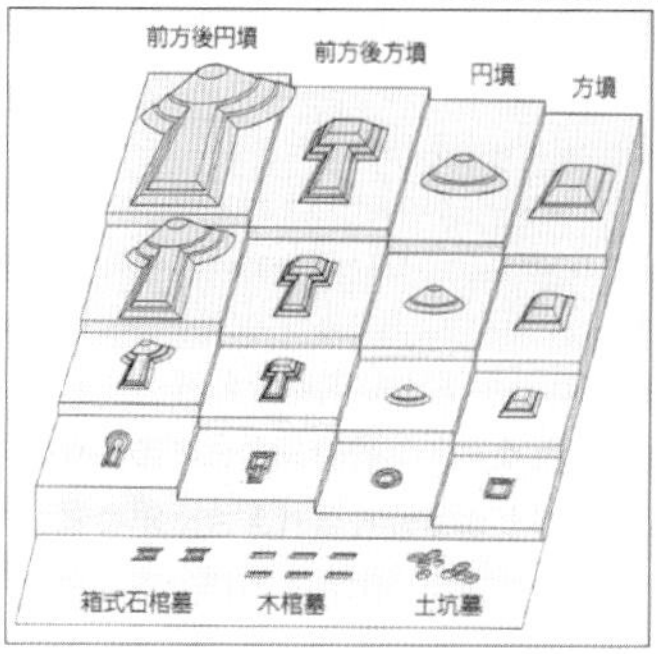

図10

ここに書かれている文章は以下のとおりです。

「古墳には、平面形からみて前方後円墳・前方後方墳・円墳・方墳などがあり、それぞれにさまざまな規模のものが存在する。墳形の形と規模で被葬者の地位や権力の大きさを示す仕組みが生まれ、日本列島の広い範囲に及んだことが、この時代の大きな特徴である。」いま、この考えは、高校の教科書では当たり前のように書かれています。ここ10年ぐらいのことです。考古学だけではなくて、古代史においてもこれがかなり信憑性の高い説ということで、安定してきたことを示している一つの事例です。

もう一つ、やはりこれは東京書籍の高校の教科書『新選新日本史』に掲載されているものです（図11）。全国の主な前方後円墳分布ということで、赤い点々が主要な前方後円墳です。圧倒的に、奈良・大阪が多いですね。そのほかの重要な地域として、北関東が挙げられています。それから尾張、吉備、讃岐、そして九州の筑前・筑後、そしてもう一つ、まさにこの出雲・伯耆ですね。つまり、前方後円墳を通じて、中央のヤマト政権と地方との関係性を見ることができるという分布図になるかと思います。高校の段階から、前方後円

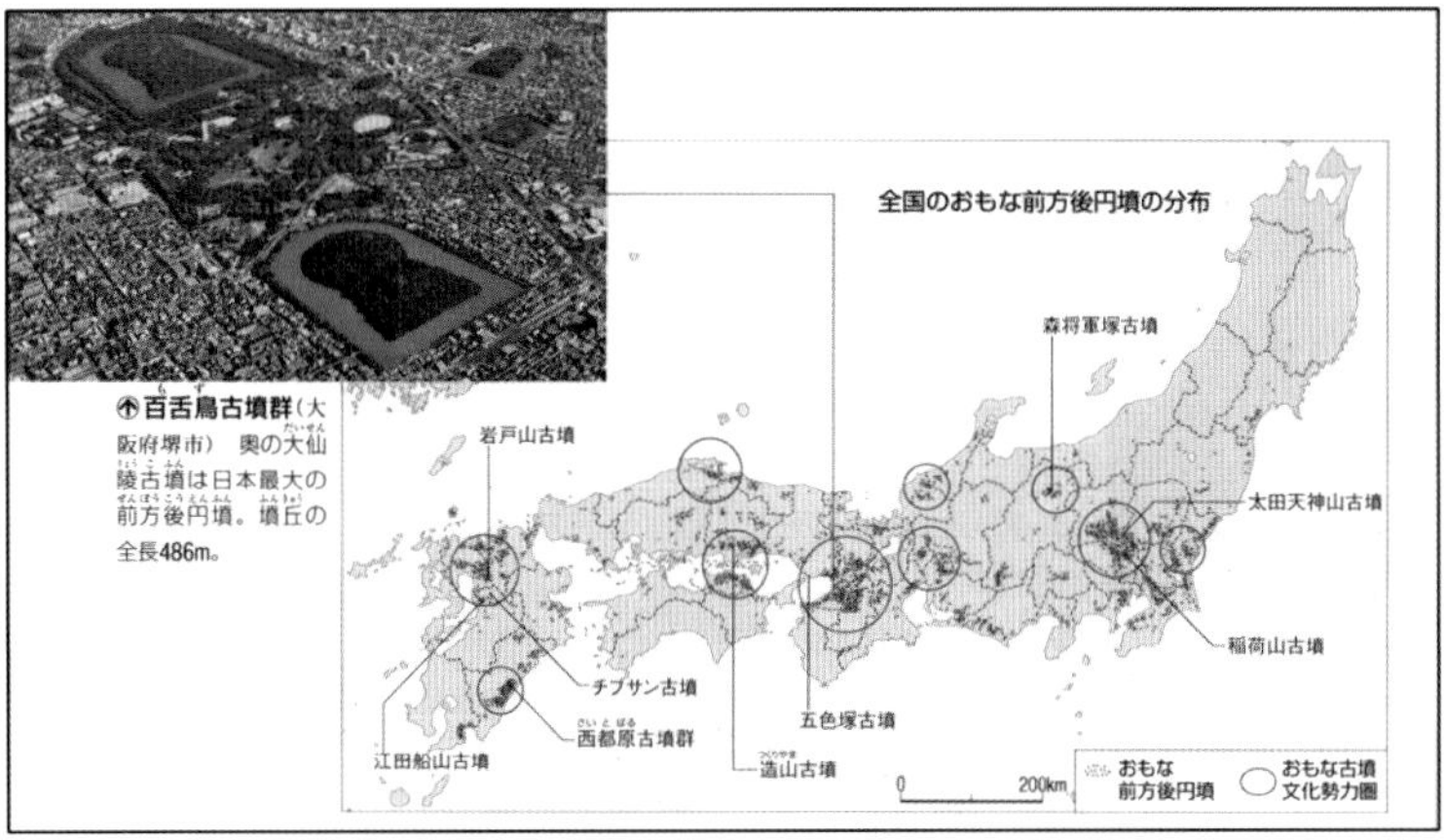

全国のおもな前方後円墳の分布（東京書籍2018『新選新日本史』）

図11

墳の重要性を歴史教育でちゃんと伝えようという意図が、この図からも伝わってくると思います。

今までのところは、日本列島における前方後円墳の意義という話になります。では、地域において前方後円墳はどういう意義があったのかということを少しご説明します。「前方後円墳の意義②」（図12）ということで、先ほど来、規模と大きさから、社会的な地位や関係性などいろいろなことがわかると言いましたが、これは地域においても同じです。

地域においても100メートル以上の前方後円墳、60メートル以上の前方後円墳、それ以下の前方後円墳、大きくこの3段階ぐらいに分かれている。大きければ大きいほど数が少ないですが、だんだん小さくなると数が増えていくわけですね。つまりその地域において一番大きな100メートルを超える古墳というのは、おそらく一つの例えですが、現代的に言えば、たとえば都道府県知事クラス、その次の60メートル以上が市町村長クラス、それより小さいのは区長さんですか、自治会長さんですか、そういう3段階ぐらいに、つまりピラミッド型のヒエラルヒー、県知事がいて、市町村長がいて、その下の人がいて、という3段階。これは、その地域の社会的構造を示しているわけです。

　ですからこの構造を説明する場合、小さい前方後円墳だから必要ないということにはなりません。小さい前方後円墳だからこそ必要なのです。前方後円墳を見ることによって、この地域の政治体制、社会的構造もわかるというのが、現在の研究の最先端かつ定説で、これは今後もそう変わらないと思います。ですから、日本列島全体の政治構造、社会構造を見る場合にも必要だし、地域の在り方を見る場合にも前方後円墳が必要だということなのです。

前方後円墳の意義②

○ 規模と分布から勢力・権力の強さと 範囲がわかる
↓
現在の都道府県知事か市町村長かあるいはさらに小さな単位の長か

○ 見せる古墳であり**その位置が重要**
↓
地域住民の象徴でありランドマーク

★ 古墳時代において地域の社会構造を示す唯一の物的証拠

図12

　それからもう一つ、ここに書いております「見せる古墳」、つまりその位置が重要だということです。見せる古墳、見る古墳です。図12の写真は一つの事例ですけど、徳島県鳴門市にある大代《おおしろ》古墳です。54メートルの中規模クラスの古墳ですが、ご覧のように平野が見下ろせる。平野から見ても、この古墳は現在繁茂している木を切ればその姿がよく見えるわけです。この右下の写真のように丘陵の上にある。この古墳が地域にとってランドマークです。前方後円墳の位置というのはとても重要で、だいたいどの前方後円墳でも、こういうように周辺全体が見渡せる場所に造られて、下から見げると、住民から見ると、ランドマーク的存在です。

ですから、１００基とか２００基とか、小さな円墳がたくさんあったとします。それを群集墳と言いますが、その中に前方後円墳が含まれる場合は、やはりだいたい一番良い場所にあります。ですから前方後円墳はその地域にとっては、非常に重要なのです。ということは、その地域の中の社会的な構造を探るために、やはり大きさに関係なくすべて前方後円墳が必要だということになります。

先ほど紹介した大代古墳は、ご覧のように四国自動車道という高速道路を造る時に壊す予定でした。ところが、発掘調査をしたら、古墳時代前期の終わりか中期の初頭ぐらい、思っていたよりも古かった。それは重要だということで県指定史跡にして、工法変更してトンネルにして残しました。工法変更しただけで多額の費用がかかります。しかし、費用がかかってもこれはこの地域の歴史と文化を語るうえでは必要不可欠だということで、計画変更して県指定史跡にして保存しました。それが２０００年頃のことです。

問題は、この後です。この４キロぐらい西に天河別《あまのかわわけ》神社古墳群があります。それが、以前から大代古墳よりも古いのではないかと言われていたのですが、改めて発掘調査をやり直したところ、古墳時代の一番最初の古墳だとわかりました。ここに前方後円墳と円墳が２つありますが、その順番を経たうえで、その次が大代古墳。さらに天河別神社古墳からもう少し西の方に行くと萩原《はぎわら》墳丘墓という弥生時代終末の墳丘墓があります。弥生時代の場合はまだ古墳とは言わず、墳丘墓と言います。つまり、弥生時代の終末から古墳時代の前期を経て、中期初頭までのこの地域の首長墓の順番が全部わかる。そういう事例も全国的には極めて少なく、これは重要だということで、今登場した古墳を全部まとめて「鳴門板野《なるといたの》古墳群」として、２０１６年に国指定史跡になりました。これは、記録保存の発掘調査で破壊される予定だった古墳が重要だということで県指定になり、その後の周辺の発掘調査によって再評価されて国指定になったという一つの例であります。これは、遺跡を残すということはどういうことか考えるうえで、非常に重要な事例かと思います。

今回の百塚88号墳について考えてみますと、これは6世紀後半の全長26メートルということで、前方後円墳の中ではいちばん小さい部類になるかと思います（図13）。横穴式石室と大型箱式石棺を持っている。墳丘は土嚢《どのう》積みの工法だということがわかっている。先ほどの私の話の筋から行きますと、たぶんこのサイズはヤマト政権から直接的な連絡とかではなくて、100メートルクラスの前方後円墳の首長を通して指示や規制があり、やはり前方後円墳という形においてヤマト政権の政治的構造の中に入った古墳と考えられます。地域の中ではたぶん一番下の方ではあるけれど、そこまで含めてこの地域の古墳時代の社会構造を知ることができる古墳です。やはりこれは非常に重要であるということです。墳丘が土嚢積みということがわかったのは、発掘調査の一つの大きな成果です。これはこれで何か活かせるのではないかと考えられます。

百塚88号墳の墳丘の測量図をみると、前方後円墳と言っていますけど、これは前方後方墳ではないでしょうか？ 後円部と言われているところの四隅に角が見えます。先ほどお話ししましたけど、なぜか山陰では前方後方墳が後期まで残るということを考えると、これは前方後方墳でも特に問題はないかと、いろいろまだ検討の余地はあるのではと考えております。

遺跡がその場所にある意義について、先ほど大代古墳の例を出しましたが、もう一度改めて考えてみたい

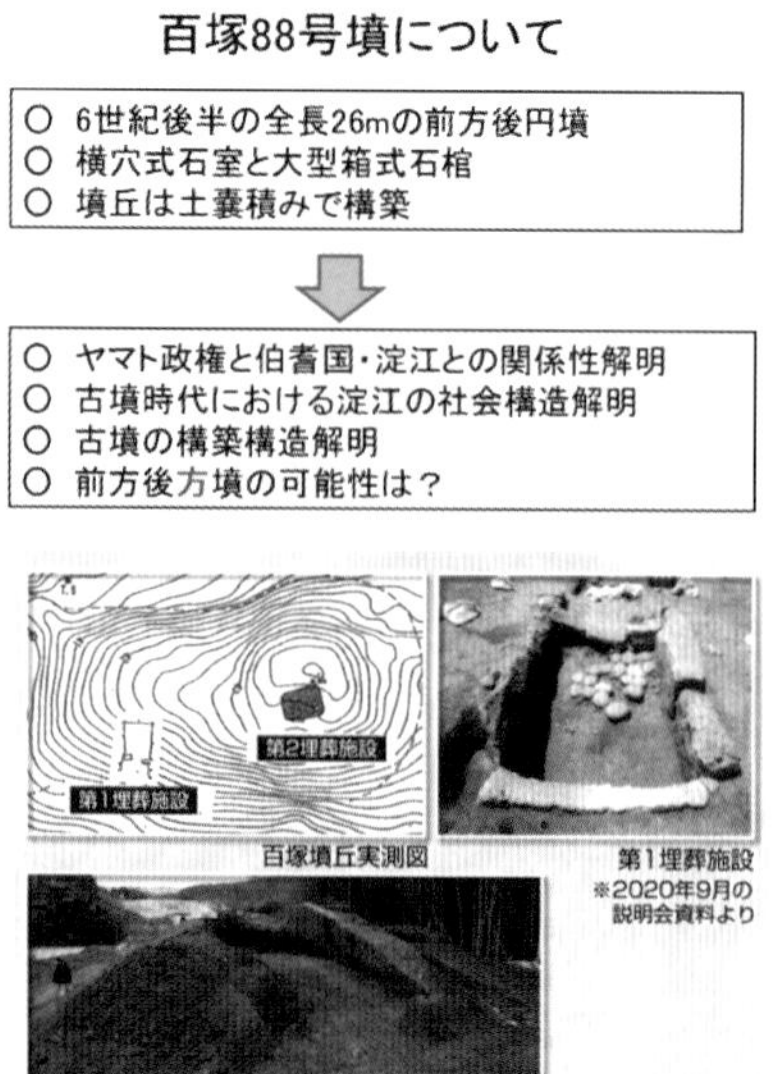
※11月21日撮影
調査のために半壊された後円部

（「古代淀江ロマン遺跡回廊」構想パンフレットより）

図13

と思います。文献史料というのは文字に残った記録で、古代が少なくて、中世・近世になるに従って増えていきます。しかし、結局特定の人が書いていますから、そこに地域の特性が網羅されるということはあり得ません。それを補完するという意味でも、遺跡が非常に重要になってくるわけです。それから先ほども少しお話ししましたように、遺跡はその場所こそが重要なのです。そこにある意義です。

先ほども言いましたように、下から見える古墳だけでなく、古墳に上って見ると下や周囲が広く見えるというこの重要性ですね。私は百塚88号墳に一度行ったことがありますが、遠くに島根半島、日本海が見えます。その手前の平野も見えます。やはりそういった場所を選んでいる。そのロケーションが重要です。何十メートルか横にずれていたら、前の地形の関係で、そういう景色は見えません。その場所にあるということが、やはり重要なのです。

さらに、本物であることが重要です。たとえば皆さまが博物館に行った時に、縄文土器として世界的にも有名な火焔型土器が置いてあるとか、あるいは福岡の志賀島から出土した国宝に指定されている「漢委奴国王《かんのわのなのこくおう》」の金印が展示してあるとします。「これは、本物ですよ」と言われたら、本物だと思ってマジマジと一生懸命見ます。「これはレプリカです、模型です」と書いていたら、あぁ模型かと思ってみんなぱっと素通りします。やはり、本物の持っている力は非常に大きいです。

ですから、遺跡の場合、その場所にある真実性と完全性が重要なので、別の場所に移築してしまうと意味がありません。こういえば、遺跡がその場所にある意義について、ご理解いただけるのではないかと思います。

5. 遺跡を残す意義

では、次に第3部「遺跡の活用」について考えてみたいと思います。遺跡の評価は、時代・社会の変遷と考古学研究の進展により変化します。

先ほど話しました古墳の研究は、日本の国土開発が増えて、それに伴い発掘調査が増えて、新たな古墳の情報も増えてくると、考古学研究も進展して、１９９０年代に都出先生の説が出て、２０００年代になると考古学界では定説化していくわけです。それが10年ぐらい前、２０１２年頃からは高校の教科書までそれが広がっていく。考古学研究が深まり広がっていくことによって、前方後円墳の評価が変わっていく、深化していくわけですね。このことは、非常に重要なことであると考えております。

図14の写真は、言わずと知れた広島の原爆ドームです。これは一つのモデルケースです。原爆は１９４５年8月6日にここで投下されて終戦に向かいます。その3年後の１９４８年に、ここを中心に記念公園を造ろうという話が出てきました。その時に、この劣化して危険な建造物である原爆ドームを壊そうという話が出てくるわけです。これは負の遺産だ、同情を引くものだ、それではいけない、これからの日本は新しく変わっていくのだから、こういう負の遺産は撤去しよう、という話が出ました。

遺跡をのこす意義

○ 遺跡は文献に現れない地域の歴史を物語る
○ 遺跡の位置と立地は地域の歴史そのもの
○ 遺跡の評価は時代・社会の変遷と考古学研究の進展により変化する
⇒現在の評価は正しいのか？
○ 遺跡の破壊は一瞬、保存は永遠
⇒慎重で責任ある対応（説明責任）が必要

世界文化遺産・原爆ドーム

「遺存状態が悪い」～何をもって「悪い」と判断するのか？
「特に良い」「良い」「普通」「悪い」「極めて悪い」 などを客観的に条件化・数値化しないと、事案ごとに判断が異なる。
行政として、経験で判断して良いのか？説明責任は果たせているか？

図14

しかし、当時の市長が、「いやいや待て、いま判断することはやめよう、10年後にもう一回考えよう」としました。その時は一回乗り切りますが、その後も何度か取り壊しの話が出ます。こういう状態ですから、危ない、壊れやすい。しかも鉄筋コンクリートは、耐用年数が50年ほどです。このままにしておくとますます劣化して壊れていく。人が近くにいたら危ない。ですから、これをいよいよ撤去しようという話が１９６０年代に本格化しました。

そこで初めて、大きな保存運動が起きました。これは戦争の負の遺産ではあるけれど、同時に平和のモニュメント、平和を求める遺産でもある、残すべきではないかという議論が起こって、最終的に１９６６年に広島市議会で永久保存が決定するわけです。それから大々的な補修工事に取りかかります。補修工事には費用がかかりますが、でもやはりこれは、日本は被爆国であり、原爆はよくない、戦争は二度とやらないんだという象徴として残していこうということで、皆さまが頑張って修理し補修しながら残していきました。

それから30年後、日本は１９９２年に世界遺産条約を批准します。すると気運が盛り上がり、１９９４年に原爆ドームは世界文化遺産に登録されます。誰が世界文化遺産になると思って残したのでしょうか。誰も思ってないです。しかし、時代の変化、社会の変化で文化財の価値が変わっていくわけです。にもかかわらず、我々の代の判断だけでその取扱いを決めて良いのでしょうか、という話です。

日本に遺跡は46万８、０００カ所あります。それを全部残せと言っているのではありません。その地域にとって重要な文化財になる可能性があるものは、やはり一度立ち止まって、どうするかを皆さまで考えて議論した方がいいのではないか。全部が全部世界文化遺産になるわけではもちろんないですが、場合によってはそういう可能性もあるのです。

「遺跡の破壊は一瞬、保存は永遠」、これはやはりきちんと考えていかなくてはいけない、極めて重要な問題だと思います。

６．さまざまな遺跡整備の事例から

それでは、残した遺跡はどういうふうに整備・活用するのかについて、いくつかの事例を紹介したいと思います。文化庁時代に仕事柄全国を廻り、いろいろな写真を撮っていますので、今回このテーマに合いそうな事例を集めてみました。

図15は兵庫県神戸市の五色塚《ごしきづか》古墳です。これは２００メートル近い大きな前方後円墳です。上の写真の奥に見えるのが淡路島、明石大橋、明石海峡です。海峡を通る船が見える非常に良いロケーションに造られています。これは日本で古墳の整備事業が始まった初期の１９７０年代頃、もう50年ほど前の整備ですが、前方後円墳を完璧に復元しています。したがって、莫大な費用と長い時間がかかりました。

図16は大分県大分市にある亀塚《かめづか》古墳です。全部を完全に復元すると大変な費用がかかるので、ポイントだけを復元した事例です。最近の前方後円墳は、こういう整備が主流ですね。これは「くびれ部」と言っている、前方部と後円部が接続する部分です。飛び出した「造出し」がありますが、それから前方部の先端部分は見応えするので復元しました。

また、墳丘のいちばん上も復元しました（図17）。それ以外は芝張りにして形だけがわかるだけにしています。

第3部　遺跡の整備・活用
–遺跡とその情報を活用する–
五色塚古墳（兵庫県神戸市）
← 明石海峡・明石大橋・淡路島
埴輪・葺石含め完全復元
図15

合成樹脂(FRP)による埴輪の復元
亀塚古墳の
後円部の主体部
図17

亀塚古墳(大分県大分市)
←葺石と埴輪を
部分的に復元
前方部から見上げる
図16

亀塚古墳の墳頂に上がると、ご覧のように眺望が素晴らしいですね。これは周辺からだと、どこからでも亀塚古墳が見えます。やはりかつての首長があそこに葬られているというランドマーク、非常にシンボリックな存在です。首長としては上から見下ろすというか、ここを制圧していたことがわかります。当時の地域の住民と首長という両者の社会的関係が、この古墳の立地からわかるわけです。

ご当地の近くの事例として、図18は島根県出雲市の西谷《にしだに》墳墓群の3号墓です。これは弥生時代の四隅突《よすみとっ》出型《しゅつがた》墳丘墓で、弥生時代ではとくに大きな墓です。現地のお墓は整備されていますが、規模が大きすぎてわかりにくいので、隣接した「弥生の森博物館」に、3号墓の10分の1の模型が大きな展示室の中央にあります。下半分はこのお墓を造っている作業風景を、上半分では葬送儀礼と言いまして首長が亡くなった時のお祭り、お葬式の場面を再現したものです。周囲には展示ケースがあり、出土した遺物を並べています。実際の遺跡の横にある博物館でうまく展示して、遺跡と博物館をセットにして見ることによって遺跡の詳細がわかるという一つの手法ですね。

　図19は福岡県築紫野市の五郎山《ごろうやま》古墳です。五郎山という丘陵の頂上にある30メートルくらいの円墳で、福岡県や熊本県に多い装飾古墳です。横穴式石室に彩色による絵が描かれていますが、下にガイダンス施設があります。そこで横穴式石室を実物大に復元したものが見られます。しかし、本物の装飾がある横穴式石室では、温度湿度を管理しないといけないので簡単に入れません。ですから、古墳があってもどこに石室があって、どこに装飾があるのかわからないのです。そこで、少しの工夫です。

　古墳の手前に１００分の１のこういう断面、縦に割った模型を置いてまして、これを見通してみると、向こうにある古墳の、あの辺に石室がある、この辺に

西谷墳墓群（島根県出雲市）

★史跡横のガイダンス
★1/10の模型
★葬送儀礼・造築・遺物展示
墳頂部

図18

五郎山古墳
（福岡県筑紫野市）

古墳断面模型（1/100）の前に立つと、古墳のなかの横穴式石室の構造と装飾の位置がわかる

図19

絵が描かれている、ということが分かります。そして改めて、どういう絵か知りたければ、下のガイダンス施設に降りていけばわかるわけです。こうやって一つ模型を置くことによって、古墳の情報がたくさんわかる。アイデアですよね。これはもう野ざらしで、メインテナンスも不要。アイデア次第で、こういういろいろなことがわかるという一つの事例です。

そういう意味では群馬県高崎市の保渡田《ほとだ》古墳群は凄いアイデアです。二子山古墳、八幡塚古墳、薬師塚古墳とありまして、100メートルを超える前方後円墳が3つあります（図20）。このうち2つを整備しました。二子山古墳（図21）については墳丘がきれいに残っていたので、過度に整備せずそのまま墳丘を残しています。ただ、墳丘の全長が100メートル以上ありますから、上の写真にあるように大きすぎて形がわからない。ですから、下の写真のように模型を置くことに

図20

図21

よって、見通して古墳の形がわかる工夫をされております。

問題は、もう一つの八幡塚古墳です（図22）。これは残りが非常に悪かったです。後円部が大きく壊されていて、石室がもうわずかしか残ってない。中に石棺がありますが、ご覧のようにこれも一部しか残ってない。盗掘されて壊れていました。普通だったら、こんなに残りの悪い石室は整備できません。

でも、ここは逆に、その壊れた部分をうまく利用して、中段の写真のように階段を降りて、石室の中に入って見られるようにしました。壊れた石棺をうまく利用して、おかげで普段は見られない石棺の内部までが見

保渡田古墳群　八幡塚古墳
主体部の遺存状態は極めて悪かったが、それを逆手にとって内部を見られるように整備した

図22

八幡塚古墳　埴輪群の復元

図23

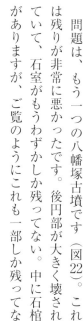

られる。これは上手いなと思いました。保存状態が悪いのを逆手にとって見せる。こういうのも一つのアイデアだと感心しました。ここは埴輪がたくさん出土していて、復元してそれが見られるようにしています（図23）。

図24は沖縄県うるま市の勝連城《かつれんじょう》跡です。これは城《グスク》という14世紀～15世紀ぐらいの城の跡ですが、城の向こうが絶壁で海です。手前の小高い丘の上に城を造っていますが、これより高い所がないため、城の中に入っても構造がよくわからない。それで、城のずっと下で模型を造って置いています。縦の縮尺を大きくして誇張はしていますが、ここの模型の前に立って城を見ると、ああいう構造だなというのが何となく頭に入って、その後で実際現地に入るとよくわかる、体感できるというアイデアです。遺跡をどう見せるか、どう活用するか、どう理解してもらうかという意味においては、非常に優れたアイデアだと考えております。

勝連城跡（沖縄県うるま市）

全体が見えない遺跡を模型で俯瞰する

図24

図25は愛知県の田原市にある吉胡《よしご》貝塚という、考古学的には極めて有名な縄文時代の貝塚です。これも素晴らしいアイデアです。平成19年でしたか、今から14年ぐらい前に整備が終わった貝塚ですが、技術が上がって整備の手法もどんどん進化していきます。この貝塚は、実はほぼ本物です。発掘調査した場所がわかる、体感できるというアイデアです。遺跡をどう見せるか、どう活用するか、どう理解してもらうかという意味においては、非常に優れたアイデアだと考えております。

貝層をそのまま固める化学薬品の性能が上がってきまして、樹脂を含ませてがっちり固めて、本物の貝層をそのまま見せています。さすがにこの人骨は偽物の模型ですが、貝層はすべて本物です。

今まではガラス張りにするとか、貝層を剝ぎ取って持って帰るとか、いろいろな方法がありました。しかし、やはり現地で本物を見ていただくという醍醐味を考えるなら、また技術が進んだのなら、こういう方法もありかなと思います。これも、雨風がかからない程度に屋根があるだけで、普通は野ざらしです。でも、化学薬品の性能が上がっているので、こういう整備ができるようになりました。

吉胡貝塚（愛知県田原市）

貝層を薬品で固めて
覆い屋を作る

図25

淀江の百塚88号墳は、土嚢積みが断面でわかります。こうやって見てもらっても良いのではないでしょうか。土嚢積みが現地で見られる古墳って、全国で他にあったでしょうか。何か工夫する余地はあるのではないかと思います。

図26は北海道函館市の大船遺跡です。今回「北海道・北東北の縄文遺跡群」という世界文化遺産の勧告を受けました（2021年7月に世界文化遺産に登録）。そのなかの一つの遺跡ですが、竪穴住居がたくさんみつかっています。

それをどう見せるかという問題で、一つは完全に当時の縄文時代後期の竪穴住居に屋根をかけて復元する。一つはあえて柱だけ、どういう内部構造だったのか見てもらうようにする。もう一つは先ほどの吉胡貝塚と同じで化学薬品で固めて、掘り上げた直後の状態を見せている。つまり発掘調査で我々は③番の状況しかわからないですが、建築学とかいろいろな部材の研究をすることによって、こういう構造だったのだ、当時の縄文人は、最終的には①番のような竪穴住居に住んでいたということが、この3つの竪穴住居の整備によって、説明を受けなくても、目で見てわかる。これもやはり工夫の一つです。

図27は私が勤めていた文化庁の横です。文化庁は6階建ての奥に見える茶色の建物で、その横に文部科学省を新築する時に発掘調査をしました。ここは国指定史跡である江戸城外堀跡の石垣がある延長線上だった

大船遺跡(北海道函館市)
竪穴住居の整備
① 縄文時代の住居復元
② 住居の構造復元
③ 発掘調査した時の状況
①
②
③

図26

江戸城外堀(東京都千代田区霞が関)
文化庁の横で検出された遺跡
↓ ↓ ↓
計画変更して保存して追加指定
現代的高層ビル群と
江戸城外堀石垣の融合

図27

ので、ここにも石垣があるのではないかと想定して発掘調査をしたら、みごとに出てきました。

　左上の写真は発掘調査の風景です。文化庁が「文部科学省の建設に際して、発掘調査をおこない、遺跡を壊して記録保存しました」では良くないですから、計画変更して建物を少しずらして建てました。もちろん国指定史跡に追加して、一番残りの良い部分は、お濠落に見えるように整備しています。地下鉄銀座線の虎ノ門駅を出たら、地上へ出ずにこの真下まで行けます。下から見上げることもできます。ご覧のように後ろに高層ビルが建っています。

　右下の写真の建物、ご年配の方ならわかると思いますが、これが36階建ての霞が関ビルで、日本で最初の高層ビルです。いまはまわりに高層ビルがたくさん建っていて、どこに霞が関ビルがあるかわからない状況です。しかし、こうやって現代的な建築物と江戸時代の構造物が、うまく時代を経て同じ空間に共存するというのも、やはり文化財を現代社会の中でどう活かしていくか、どう共存するかという一つの重要なモデルケースです。

　このように、かつての江戸城の中に、今の霞が関があるというのも、やはり独特な歴史性を感じます。何かそういうところをうまく考えてマッチさせる。現代のものと文化財が共存するというのは決して悪い話ではなくて、むしろ歴史的な価値を上げるのではないかと思っています。

　ガラッと話が変わります。図28は山梨県南アルプス市で、小学6年生が作った古墳の説明板です。これを見た時、大変驚きました。南アルプス市の文化財の担当者が小学生と勉強会をやって、説明板を作ってもらうんですね。手書きです。微笑ましくて、思わず読んでしまいます。一生懸命勉強して書いています。QRコードが右下についていて、スマホをかざすと6年生の生の声で説明が聞けるという、いかにも現代的な感じになっています。

　これは市指定の小さな古墳でして、そんなに大きな古墳とか国指定とかではないのですが、こうやって地元の小学生たちが自分の住んでいる所の文化財を大事にして、自分たちで説明板を書いてくれると、つい読んでしまいますね。素晴らしいアイデアです。

　ここで面白いのは、南アルプス市の文化財の説明板は全部この仕様です。ですから、遠くから見ても色と看板の仕様で「あれは文化財の説明板です」とわかるように工夫しています。そして、説明文だけ剝げる。学年が変わったら付け替えるわけですね。

　図29はまた全然違う話ですが、マスコットキャラクターです。日本で縄文時代の土偶は今5点が国宝ですが、そのうち2点がこの長野県茅野市から出土しています。右側が「縄文のヴィーナス」棚畑《たなばたけ》土偶、左側が「縄文の女神」という仮面を被った中ッ原《なかっぱら》土偶で、いずれ

山梨県南アルプス市
小学校6年生が作った説明板

図28

長野県茅野市役所内のトイレ
国宝中ッ原土偶と棚畑土偶

マスコットキャラクターがお出迎え！

左：縄文の女神（仮面土偶、中ッ原遺跡出土）
右：縄文ヴィーナス（棚畑遺跡出土）

図29

も完全な形で出土しています。

茅野市の市役所に行くと、各トイレに全部違う土偶のイラストが張ってあって、「大切な資源　みんなで大事に使いましょう」と、ここではこの土偶が手を拭いている。とても微笑ましいですよね。お金はかけてないです。広報課の職員が自分のコンピュータで作って、それを打ち出して貼っているだけです。だけど、この茅野市のマスコットキャラクターが役場の中にウヨウヨいるわけです。全部が違う場面です。微笑ましい。文化財がこんなふうにうまく使われているということを考えると、ホッコリしますよね。

ということで、大体どういう整備・活用があるかというのを、わかっていただいたかと思います。

7．さいごに～遺跡の破壊は一瞬、保存は永遠

最後に、改めて「遺跡の破壊は一瞬、保存は永遠」です（図30）。最初に紹介しました、文化財保護法の第3条、「政府および地方公共団体の任務」ということで、将来を見越した文化財保護をやっていかなくてはいけないということです。保存と活用はアイデア次第です。いま最後の方で見ていただきましたけれど、ちょっとしたアイデアですね。壊れているものを逆手にとるとか、子供たちと一緒にやると豊かな情報になるとか、本当にアイデア次第で遺跡は活かされるということです。

とくに今は保存技術、最新の化学薬品とか新しい技術が日々進展していますので、今までならできなかったことも、できるようになってきています。百塚88号墳も、そういう最新技術をうまく使うといいのではないかと思います。

遺跡の保存は、行政と地域が一体となって初めて成功するものです。全国でいろいろな遺跡の保存、保護の事例を見てきましたけれど、行政主導の場合は住民が醒めます。住民が燃え上がると、行政が引いてしまいます。成功している事例は、地域の方と行政がよく話し合っています。実際にお金を出して整備するのは行政ですけれど、そこに住んでその遺跡を守っていく、

生活の中で一緒に過ごしていくのは地域の方々です。だから両方で話し合っていかないと、遺跡はうまく保護されません。遺跡の保護というのは、文化財全体がそうだと思いますが、地域の方と行政とどちらかが突出したら駄目です。やはりフィフティ・フィフティでうまく話し合って、ゼロか100ということではなく、落としどころを探して、両方にとってメリットがある保護の仕方を考えるのが一番良いと思います。

ということで、ぜひ今回の「古代淀江ロマン遺跡回廊」は、非常に良いモデルケースになると、何度もお話してきました。今後、淀江から全国にどんどん情報を発信し、今までとは違った淀江を全国の方に見ていただければと思います。こういう取り組みは、本当に良いことだと思い、最後に「たいへんよくできました」マークを押しておきました。

「古代淀江ロマン遺跡回廊」の今後の進展に期待しております。ご清聴、ありがとうございました。

最後に！

- ○ 遺跡の破壊は一瞬、保存は永遠
- ○ 遺跡の保存と活用はアイデア次第
- ○ 遺跡の保護は行政と地域が一体化して初めて成功
- ○ 淀江から全国に「遺跡をまもってまちづくり！」のモデルケースとしての発信を！

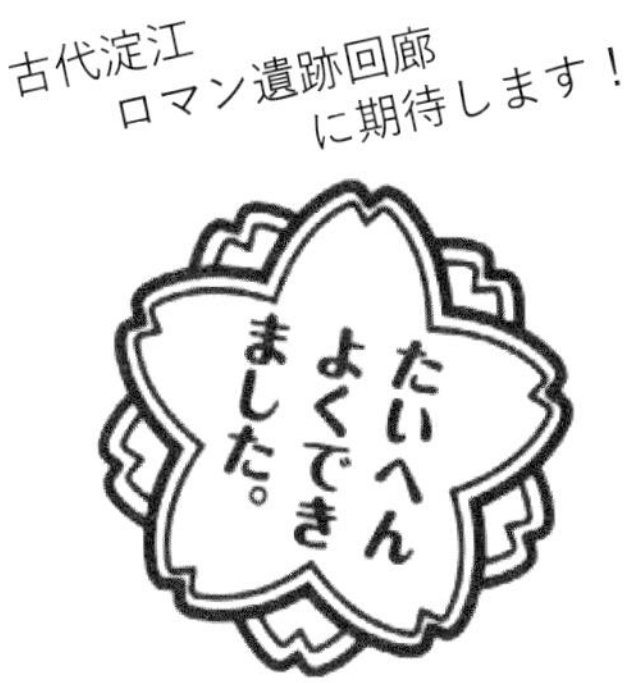
古代淀江
ロマン遺跡回廊
に期待します！
たいへん
よくでき
ました。

図30

進行役　水ノ江先生、淀江から世界へ、そして古代から未来へということで、本当に興味深いお話をありがとうございました。

そうしますと、水ノ江先生には10分間の休憩後、また対談に出演していただきたいと思います。よろしくお願いいたします。

では、ここで10分間の休憩をとり、その後、水ノ江先生と共同代表の吹野博志との対談を始めさせていただきます。なお、本日の講演会のテーマについて質問されたい方はお手元の質問用紙に記入し、対談が始まる前に受付まで提出していただければと思います。

それでは、これから10分間の休憩に入りたいと思います。よろしくお願いいたします。

＊

＊

【対　談】

水ノ江和同　先生
吹野　博志（推進会議共同代表）

進行役　それでは、これより水ノ江先生と共同代表の吹野博志さんとの対談を始めさせていただきます。水ノ江先生、そして共同代表の吹野さん、よろしくお願いいたします。

吹　野　水ノ江先生、どうもありがとうございました。

水ノ江　こちらこそ、どうもありがとうございました。

吹　野　さすが全国北海道から沖縄までいろいろ見ていらっしゃって、今日はそのほんの一部をご紹介いただいたんですけども、それだけでもいろいろ興奮してきました。また将来、第2回、第3回もやりたいと思います。

水ノ江　機会がありましたら、よろしくお願いします。

吹　野　ちょっと私の自己紹介からお話しします。私はこの淀江町で生まれました。壷瓶山の海側に五軒屋という所がありまして、ちょうど海から５００メートルくらいのとこですけれども、そこに父親の実家がありました。母親の実家は、平野の東端の妻木晩田遺跡の麓に高麗村の寺坂という、家が4軒ぐらいしかない小さな集落にありました。昭和20年代、私が幼稚園、小学校、中学校の頃はあまり交通の便も良くなかったので、歩いて母親の実家に行ったり、五軒屋の父の実家へ行ったりしていました。妻木晩田はスキー場に使っていまして、自分たちでジャンプ台を作ったりして遊んでいたり、ターザンごっこをやったりしました。ですから、だいたい自分のうちから歩いて1時間ぐらいの範囲の所が、まさしくこの「古代淀江ロマン遺跡回廊」のエリアで、私らの時代の子供の頃の遊び場だったんですね。そういうことで非常に思い入れが深いわけです。

最初にちょっとお伺いしたいのが、大山の火山活動が終わったのが2～3万年前と言われていて、その後から人が住み始めたということですね。おそらく2万年くらい前からこのあたりだけではなくて、島根県、鳥取県に人が住み始めたと思いますが、その後縄文時代、弥生時代からずっと経て今日に至る。こういうふうにニュータウンとオールドタウンが、ある意味で住み分けて残っている。ヨーロッパでは、古い町とニュータウンがそれぞれ両方残っています。ところが日本の場合は、建物が木造だったせいで、火事になったり地震があったりいろいろあって、上へ積み重ねていっています。そういう意味では、この淀江は数千年前からの古い町と、ここ2～３００年の町がきれいに住み分けられているというのが非常に面白いと思います。水ノ江先生は、全国いろいろな遺跡をご存じだと思いますが、こういう点は、珍しいのでしょうか、そうでもないのか、どうなのでしょうか。

水ノ江　そうですね。全国に遺跡が幾つあるかというと、文化庁のホームページ見ていただいたらわか

ります が、46万8、000遺跡です。これは世界でいちばん多いのです。多いというのは、それほど細かく遺跡の発掘調査や分布調査をやっているからです。46万8、000遺跡というと単純に47都道府県で割り込んでいくと、一つの都道府県に1万遺跡があることになります。平野部を見ていくと、遺跡のないところを探す方が難しいぐらいです。

日本列島は島国で完結しており、4万年ぐらい前からずっと長く同じ場所に人が住んでいるものですから、遺跡はどこにでもたくさんあります。もちろん疎密はありますけれど。

その中でこの淀江を見ていくと、確かに古代の遺跡としては、縄文時代もありますが、弥生時代から古墳時代、奈良時代ぐらいまでの密度とクオリティーがすごく高いです。全国的にみても、こういう地域はあまりないです。先ほどもお話したように、国指定史跡が4つも密集している。国指定史跡は欲しくてもない市町村のほうが圧倒的に多く、それぐらい恵まれて贅沢なところ、それぐらい歴史性が高いということです。

吹　野　話はちょっと飛びますが、邪馬台国という卑弥呼のクニがよく話題になりますね。あの時代、つまり2000年前、あるいは1700年くらい前のクニのサイズ、人口と面積は、どれくらいなのでしょうか。たとえばこの淀江のロマン遺跡回廊ぐらいの規模は、一つの国といえるのでしょうか、どうだったんでしょうか。

水ノ江　あの時期のクニというのがどのくらいの広さかというのは、とても難しいですね。中国の『漢書』地理誌に「分かれて百余国を為す」とか、あるいは『魏志』倭人伝になると邪馬台国の他に30ぐらいの国があったと書かれています。しかし、実際にその空間がどれだけの広さかというのは難しい問題です。ただ一般論からいうと、遺跡の規模と内容、出土遺物を見ていると、妻木晩田遺跡がこの広い地域の一つの拠点であったというのは間違いない。その地域がどこからどこまでかと言われると不確かですが、おそらくこの米子市が中心だったというのは、ほかに匹敵する遺跡がほとんどないので間違いないです。そういう評価に基づき国指定史跡になっているわけです。

吹　野　今でもそうですが、2000年前といえば、やはり食べることが最重要課題ですね。そういう意味では淀江は、海に近いことと共に、山があります。山といっても、何千メートルの山ではなくて里山と言いますか、100メートルから300メートルぐらいの山があって、そこに非常においしい大山の伏流水がこんこんと湧き出ている、川もあるということで、そういう恵まれた自然条件が揃っていたからこそ、ここに定住したのではないかと思います。そういうところは全国にたくさんあると思いますが、その中で7世紀末に建てられた上淀廃寺は、法隆寺と並んだ我が国最古の壁画を持つ寺院の跡で、1棟の金堂に対し3棟の塔が並ぶ伽藍配置は他に例がないと言われています。しかもその壁画を見ると、ただ素人が描いたのではなくて、それなりの職人と言いますか画家と言いますか、相当の腕のある人が抱えられていたと思われます。この地方としては相当スケールの大きい寺院だと思います。そうなると、その財力と言いますか、この建立の資金はどこから出てきただろうということが気になります。いろいろ想像すると、たとえばここは港があり、朝鮮半島との交易もあった可能性もありますし、鉄であるとか、後の時代にはたたらの鉄もこの近所からも出てます。ですから、どうなのでしょうか。私は、ヤマト朝廷がお金を出したとは思えないのですが。

水ノ江　それは、本当に難しいところですね。7世紀後半、8世紀の前半に、上淀廃寺跡のようなとんでもない寺院があった。壁画やあの大きな仏像は、類例がないですものです。だから、何か突出した要因があったのでしょうけれど、上淀廃寺については文献に出てこないのです。ですから、どうしてこんなにすごい遺跡がここにあったのかというのは、まだ今の段階ではわからないとしか言いようがありません。ただし、やはり今言われたように、ここが継続的に対外交流の拠点であったということは、弥生時代の妻木晩田遺跡から出土する遺物、鉄製品などを見てもわかりますし、対外交流とか、何か少し他の地域と違う要素があったのかもしれませんね。

そういう問題点も含め、この「古代淀江ロマン遺跡回廊」構想の一つの大きな目標として、ただ歴史を見るということではなくて、問題点というか、わからないところを皆さま自身が調査研究していきながら解明していく取り組みも、ぜひこの上淀廃寺を含めた謎の打開点にしていただけると良いのではないでしょうか。

吹　野　上淀廃寺は、ある意味では芸術的な手法を使って造られています。それは、奈良の都から職人が来て描いたというよりも、想像をたくましくすれば、この時代の前から、淀江は海上交通の拠点として栄えた土地ですから、上淀廃寺の壁画も、もしかすると朝鮮半島との直接交流によって、壁画を描く技術者が淀江に来て描いたのではないかと思います。

考古学者の中には、淀江平野のあたりに、半島と交易をしてた大型の船が出てくる可能性があると言う人もいます。新潟県の新発田で弥生時代の船が出土したのですが、それは魚釣りの船ではなくて日本海を漕ぎ渡ることができるがっちりとした構造船だったということです。そういう意味では、これからも楽しみは残っていると思います。

水ノ江　それこそ稲吉の角田遺跡の絵画土器をみると、そういう要素がたくさんありますね。あのような絵は、想像で描くのではなくて、実物を見ているから描けるわけですね。また、鮒ヶ口遺跡からは九州の縄文土器が出土しています。九州の縄文土器を真似して作ったのではなくて、九州から実物が持ち込まれたものです。そういう動きが６５００年ぐらい前からあったわけで、ここが交通の要衝であったということは間違いないと思います。そういう事実関係をもう少しうまく積み上げていって、確実な一つの説にしていっていただくと良いのではないかと思います。

吹　野　以前、10年ほど前ですけど、京都の国際日本文化研究センターの教授だった安田喜憲先生が、京セラの稲盛さんがスポンサーとなって、中国の長江の下流域、揚子江流域の遺跡の発掘調査に行かれた時、この稲吉角田遺跡の土器に描かれている船を漕いでいる絵とほとんど同じ土器の絵が出てきたそうです。長江下流域といえば水稲農耕の発祥の地なので、稲作文化も絡んでいるのかもしれません。水稲農耕は、大陸で発生して直接的には朝鮮半島から北部九州にもたらされたのですけど、もしかすると中国南部との直接交流もあったのではないのかなと、想像が膨らみます。

水ノ江　そういうこともあったかもしれませんね。

吹　野　そういうことで、遺跡があるということと、この土地の特徴は、北九州と並んで大陸や朝鮮半島との交易があったというところが一つのユニークな点じゃないかと思いますけれども、いかがでしょうか。

水ノ江　中国とこの地域の間に直接交流があったという考古学的な証拠はいまのところまだみつかっていませんが、ぜひそれをもっと深く掘り下げていただきたいですね。

吹　野　とはいえ、推進会議のメンバーというのは素人ですから、どういうふうにやれば良いんでしょうか。

水ノ江　たとえば、今よくやられているのは、地域研究を進めたいということで基金を作って、研究を公募するのです。この地域のこういうテーマで研究しませんかとか言って、お金をお渡しして、そのお金を原資にして、いろんな研究をしていただき、最終的には成果を発表していただく。そういう研究が最近あちこちで行われています。

吹　野　なるほど、なるほど。民がそういう形でイニシアティブをとって、行政のサポートもいただきながら、研究を推進していくという形ですね。

水ノ江　そうですね。今後の一つのあり方だと思います。

吹　野　なるほど、そうですか。これは非常に楽しみなテーマを与えていただきました。

先ほど申し上げましたように、淀江には古い町並みが残っていて、湧水があちこちにあり、川が流れて水車小屋があって、サイノカミさんやいろんな神社がこの遺跡回廊の中にたくさんあります。遺跡とそういう大自然と歴史遺産が一体となって、融和した生活が営まれています。

それは、ちょうどいま政府も中心になって言っているカーボン・ニュートラルですね。この200〜300年、人間はずいぶん大自然を傷めつけてきたけども、それはまずい。その延長線上では地球が持たない、人類は持たないということです。

しかし、このあたりは大自然と生活がうまく調和してきていて、私が生まれた頃とほとんど景色が変わってないです。そういう意味では、大自然と調和している町並みがあるということは、遺跡と直接は関係ないですけれども、自然と歴史と人間の生活が調和してうまくいっているという点も、大事にしていきたいと思ってます。

水ノ江　いま言われたことは、まさに今日、私が説明させていただいた「地域計画」なのです。多様な文化財全部を総合的にまとめて、その地域の歴史と文化を語って保護していきましょうというのが「地域計画」です。それに、さらに今のお話はプラスして、現代的な観点を入れていくということですね。たぶん、これからはその方向に進むと思います。それだけに、まずこの淀江の中で、それがいちばん象徴的に表せるのがこの「古代淀江ロマン遺跡回廊」構想だと思います。ここにしっかり根っこを置いて、今度は遺跡だけではなくて文化財全般も広く見ていく。それが、たぶん現代の、今言われた名水や町並みなどとどう関係して、この淀江の地区の豊かな歴史と文化を活かしてしていくのかということを、ますます広げて発展させていただければいいのではないでしょうか。

繰り返しになりますけれど、やはり淀江の遺跡のクオリティがすごく高いということはブレずに、いちばん最初に位置づけないといけないと思います。いま結構あちこちで似たような取り組みをやっていますので、ぜひここは区別化・差別化をしておきたい。淀江の一番すごいところ、国指定史跡というお墨付きをいただいてる遺跡から入っていくのがいちばんわかりやすいと私は思います。

吹　野　4つありますからね。

水ノ江　そこはぜひブレずに進んでいただいた方が良いという気がしますね。

吹　野　遺跡を縦糸にして、横糸にそういう生活文化みたいなものがあって、それがうまく同じ場所に共存しているというか、何千年間も人間が営みを続けているというところをどうやってさらに高めていくかと。

水ノ江　そうなのです。さきほど言いました「地域計画」は、私が文化庁を出た後に始まりましたが、いま全国各地で様々な事例が提案されています。しかし、何かきれいな言葉が並んでいたり、その地域の個性が何だかわからない事例が多いように思います。やはり地域の個性を明確にして、そしてそれを核にしないと、同じように見えてしまいます。ですから、3回目の繰り返しになりますけど、淀江の遺跡がすごいというところは、ぜひうまく活用、アピールしていただきたいと思います。

吹　野　なるほどね。いま私は、地方創生ということに興味がありまして、内閣府のホームページの地方創生というので見ると、仰る通り金太郎飴ですね。ビビッドな沸き上がるようなものじゃなくて、頭の中で考えて作文したのではないかと思うようなのがあって、これを推進ではちょっと寂しいなと思っていました。批判だけをしていてもしょうがないので、いま水ノ江先生が仰ったように、この鳥取県の歴史的な、あるいはこの遺跡も含めた背景を十分生かして、オリジナリティのある理想社会とは何なんだろうということを地域の皆さまと一緒に考えていきたいと思います。それから、先ほど私も非常に感動したのは、大人だけの世界ではなくて、今の若い世代、それからまだ生まれてないジェネレーションもあるので、そういう意味では小学生・中学生の方にお願いして一緒に参加してもらいたい。ダイバーシティという言葉がありますけど、大人の世界だけではなくて、小学生・中学生も参加して歴史的なつながりが将来に向かって見えるような、そういう参加ができるともっと素晴らしいなと思います。

水ノ江　さきほどの南アルプス市の説明板などは、小学生が「自分が描いたんだぞ」という自信と自慢になりますが、実はいちばん喜んでいるのはお父さんお母さん、お祖父ちゃんお祖母ちゃんなのです。ご家族の方々の自慢度がすごいですよ。子供がいろいろ成果を出していくと、友達が集まるし、家族が集まる、地域の人が集まる、みんなが喜ぶという相乗効果がたくさんあります。やはりそのあたりもうまく活用していく、考え方として取り入れていただければ良いと思いますね。

吹　野　最近、毎日話題になっているコロナのパンデミック、世界でもそうなんですけども、鳥取県と島根県が全国の人口比にしても圧倒的に感染が低くて、しかもコロナで亡くなった方が島根県がゼロ、鳥取県が2人という、これまた非常にレベルが高い。それは、医療施設が充実していて、手厚い看護、医療的行為をやっていただけるとか、いろいろ理由はあるのですけれども、間違いなくこの大自然が何%かの役割を果たしていると思うのです。そういう意味では、この「古代淀江ロマン遺跡回廊」も、そういうところと底辺では繋がっているのではないのかという見方を、私は勝手にしています。

水ノ江　それは、現代的な一つの見方ということで、良いのではないですか。

吹　野　はい。そろそろ時間にもなりました。会場から質問をいただいているようなので、先生との対談はここで終わりにしたいと思います。

大変刺激を受けました。これに懲りずに、また第二弾、第三弾を楽しみにしておりますので、よろしくお願いいたします。

水ノ江　機会があったら、またお願いします。

吹　野　どうも、ありがとうございました。

水ノ江　どうも、お疲れさまでした。ありがとうございました。

【質疑応答】

進行役　水ノ江先生そして吹野博志さん、ありがとうございました。

そうしますと、会場から質問が7件、届いておりま す。同じような質問項目も何枚か来ておりますので、こちらでピックアップして読ませていただきます。それでは、先生、よろしいでしょうか。

水ノ江　はい、どうぞ。

進行役　まず1番目は、2～3通同じような質問がきていますけれども、水ノ江先生が百塚88号墳を残した方が良いと思われるいちばんの理由は何だと考えておられますか。一つの理由ではないと思いますが、その中でいちばんの理由を挙げてくださいという質問です。

水ノ江　いちばん大きな理由は、やはり前方後円墳だということですね。先ほど来、何度かお話しさせていただきましたが、最近、前方後円墳の評価が変わるというか、新たに評価の幅が広がるというか、いろいろな考古学的な研究の進展もありまして、日本列島の古墳時代の政治体制、社会体制あるいは社会構造を語るうえで、前方後円墳なくしては語れなくなってきているのです。

百塚88号墳はその一つ、小さくても前方後円墳体制の構成要素なのですよね。それがせっかく残っているのだったら、残した方がこの淀江の地域の古墳時代の実相がわかるということ、それが1番目ですね。2番目は、やはり実際に現地に行ってみて、あのロケーションですね。あるべくしてあるべき所にあるのだなということ。また、あの地域は１２０基ぐらいの古墳があったそうですね。あの百塚古墳群の中で、88号墳はトップ・オブ・ザ・トップです。もう一つ前方後円墳があったそうですが、それは消滅してしまったということ。それも33メートルという、けっこう小さいのですが、たぶんこれは親子関係かなにかでしょう。その１２０幾つかの小さな円墳をうまく統括した親子２世代の前方後円墳とか、そういう社会構造も見えてきます。せっかくあの地域の社会構造がわかり、よくわからなかった古墳時代の実像がわかる一つのモデルケースになるという意味で、やはり重要な遺跡です。

先ほどもお話しました、今の評価はそこまでなのです。けれども、これが10年後20年後の古墳時代研究の進展によってまた違う、さらにもっと重要な評価、価値観が出てくる可能性があるわけです。その時に、古墳がなかったら評価のしようがないですよね。壊すのはいつでもできるわけですから、せっかく残っているのだったら残しておいた方が良い。また、古墳時代のことを語る要素をたくさん持っているのだから、残すに値する古墳なのです。いろいろ難しい問題もあるかもしれませんが、以上が私の思っているところです。それでよろしいですか。

進行役　ありがとうございます。先生のご講演の中でも、淀江町は非常に歴史的価値の高い所であるというお話がございました。とにかく淀江には貴重な遺跡が集中している。この遺跡を活用することが、淀江にとってのキーポイントではないかということを私は感じたのですけれども、そういった中で、遺跡の魅力についてもう少しお話いただけたらという要望が出ております。淀江は、文化庁が進めている「地域計画」の一つのモデルになるとのことですが、具体的なイメージがあれば、教えていただきたいということです。

水ノ江　「地域計画」というのは、先ほどもお話したように遺跡だけではなくて、全部の文化財が対象です。建造物もあり、無形民俗、お祭りもあり、あるいは天然記念物、名水もそうかもしれませんね。そういうものも含めて、この淀江地域の歴史と文化がどういう世界観だったのかということを、今までは指定文化財や登録文化財で評価していたのですが、指定や登録になってない、指定や登録にできないけれども淀江には一つの個性なのだというものを取り込んで、大きな枠組みを作りましょうということです。その時に、淀江の場合は遺跡が極めて大きな個性を形作っているわけです。強烈なわけです。だから、それを前面に押し出して、指定になってないもの、そういうものも含めてもっと豊かにしていく。

先ほどお話ししましたように、「地域計画」はどうしても他の事例と似てしまいがちです。非常にステレオタイプで、あまり個性が出てこない場合が多い。その中にあって、淀江は個性が出せる条件というか、遺跡という注目すべき題材をいっぱい持っているわけです。それを活かさない手はないですね、というお話です。それをさらに進める方法は簡単には見つからないと思いますが、いろいろな有識者を集めて議論してもらうとか、もう少し考える場があった方が良いと思います。

ですから、今回の「古代淀江ロマン遺跡回廊」構想も、アイデアとしては非常に良いし、取り組みも良い。では、これを今度どう進めていくかという進め方を、ぜひみんなで議論していただきたい。そうしないと、こういうものを作った時は、ワアッと勢いがあり盛り上がりますが、継続させるのはなかなか難しいです。世代交代も意識しながらうまく続けていくと、たぶん5年後10年後20年後、また意識とか研究成果が変わってきますから、新しい空気を吸収しながら、刷新していくことですね。

「地域計画」は行政が作るのですけれど、一回作ったら、そう簡単に書き換えないというか、変えられない。ですから、そうではなくてマイナーチェンジを繰り返しながら、10年20年後に大きくメジャーチェンジをして、他の地域にはない仕掛けを行政に作っていただいて、その情報をこの「遺跡回廊」をベースに、先ほど言った基金などで研究してもらって成果を出していくような、いろいろな方法があると思います。ぜひ打ち上げ花火に終わらないよう、世代が変わっていき、子供にも入ってもらって一緒に考えるなど、継続的な取り組みになることが、この淀江の個性になっていくと思います。

せっかく国指定史跡という良い題材がある。これはもう半永久的なものです。指定が解除されることはないので、それをベースにますます発展させていける。ほかの所にはない題材があるということで、よろしいのではないでしょうか。

進行役　ありがとうございます。ほんとそうですね。継続していくということの大切さを私たちはしっかり胸に刻んで、これからこの「古代淀江ロマン遺跡回廊」に取り組んでいかなければならないということが、お話の中からよくわかりました。そのために、まずこの淀江の遺跡の価値、淀江の素晴らしい歴史的環境、それをまず知っていただくということが大事ではないかと思います。淀江に住んでいても、こんな素晴らしいところなのだということに気づいていない私たちがいるのではないか。そういったことも、この「古代淀江ロマン遺跡回廊」のスタートが第一歩なんですね。そこから淀江の、よそにはない個性のある地域づくり、この遺跡回廊づくりを、これからも水ノ江先生にいろいろとアドバイスいただきながら進めて参りたいと思います。

それから、百塚88号墳は前方後円墳ではなく、前方後方墳の可能性があるのではないかということに関して、その判断基準はどういうところにあるのかという質問があります。

水ノ江　基準は、前方後円墳の後円部と言っているところが、四角か円かという話です。この測量図を見ると、後円部の円の部分が、見ようによっては四角く見えませんか、ということです。

進行役　もし前方後方墳となれば、その評価はどう変わるのですか？

水ノ江　ですから、これが難しいところなのです。前方後方墳というのは、古墳時代の前期に全国にあります。多くは前方後円墳よりは小さいのですが、100メートルを超えるものもあります。だから、大きな地位を占めていて、ヤマト政権と地方との関係がまだ不十分だから、イレギュラーな形があるのではないかという説もあるのですが、なぜイレギュラーな形が全国にあるのだというような話もあって、いろいろ評価がまだ定まってないと思います。定まっていないだけに、前方後方墳の可能性もあるのであれば、そういうふうに見ていくことで、この百塚88号墳を通じてもう一回見直すきっかけもあるかもしれないということです。

進行役　ありがとうございます。百塚88号墳や淀江の遺跡の魅力について、これからもっとみんなで考えていかねばならないということだと思います。会場からの質問は、だいたい以上です。

最後になりますけれど、水ノ江先生の方から何か、ここだけはもう1回言っておきたいというようなことがあれば、お願いいいたします。

水ノ江　先ほどの講演の最初の方でお話させていただきましたけれど、遺跡を保護していくというのは、文化財保護法の第1条はともかく第3条と第4条で、行政と国民というか地域の方たちとの役割分担がちゃんと書かれています。70年前にあれを書いたと思うとすごいことだなと思います。

文化財を守っていく枠組みとか予算化を進めるのは、やはり行政の役割です。それは地方教育行政法の第21条の第14項に行政の職務権限だと書かれているわけです。それをベースにするのですけれど、実際には文化財は地域の方たちが接していって地域の方たちの生活の中にあるわけですね。だから、行政が一方的にこうだよと言っても、地域の方たちに合わない場合があるわけです。

逆に、地域の方たちがこうやって文化財を守ってもらいたいと言っても、行政がそっぽ向いたり、お金がかかるから無理だといわれることがある。いま財政的に豊かな地方公共団体なんてほとんどありませんから、優先順位の問題もあって、うまくいかないかもしれない。そこは１００対ゼロ、ゼロ対１００ではなくて、話し合って、時には6対4か、4対6かもしれないけれど、どこかでお互いが納得いくところを探していかないといけません。

もう一つ、開発の場合も同じで、開発が計画されました、遺跡がありました、開発計画が優先されるから遺跡を壊します、ではないです。開発１００、文化財ゼロではないし、逆に文化財が重要だからといって開発をゼロにするのもやはりおかしいと思います。開発というのは、我々の生活を豊かにするための行為ですから、これも話し合って、6対4になる場合も4対6になる場合もあるかもしれませんけれど、お互いが納得できる領域を探していろいろ方法を考える。

私の経験では、全国の事例を見ていると、きちんと話し合って議論すれば、最後には落としどころが見つかります。見つかっていない所というのは、話し合いが不十分なのです。そこはぜひ、もっともっと話し合って、どこが落としどころなのか、どこがお互いにとってメリットがあるのかということを、共通認識として持って取り組むということがいちばん重要だと思っています。

百塚88号墳についても、できればそういうモデルケースになっていただきたいと期待しております。今日のこういう講演とか、非常によくできたこのパンフレットをベースに、また皆さまが考えて次の一歩を進んでいただければ、とてもうれしいと思います。ありがとうございました。

進行役　ありがとうございます。吹野さん、最後に一言お願いしたいと思います。

吹　野　水ノ江先生、今日はどうもありがとうございました。会場には約50名の方がいらっしゃっていますし、リモートでこの講演を聞いていらっしゃる方が約100名弱いらっしゃるので、百数十数名の方が今日参加いただいています。

本来であれば、私と他の代表もそちらに出かけまして、皆さまといろいろ意見交換等もやりたいと思っていたのですけれども、いまのコロナのご時世でございまして、申し訳ありません。望むらくは、今年の秋にはそちらに参りまして、きちんとした推進会議、発起人会の立ち上げで、皆さまとお話させていただきたいと思っております。今日はこういうリモートでの形で、ご勘弁いただきたいと思います。

水ノ江先生には、いっぱい刺激的なお話をいただきました。これが打ち上げ花火で終わらないようにと釘を刺されましたけれども、会場の皆さま、全国の皆さまのご希望を集めて、理想的なまちづくりに向かっていきたいと思っておりますので、よろしくお願いいいたします。今日はどうもありがとうございました。

進行役　水ノ江先生、そして吹野博志さん、本当にありがとうございました。

話の中に出てきました、遺跡の保存と活用はアイデア次第である、そして遺跡の保存は行政と地域の皆さまとが一体になって意見を交しながら、一緒に取り組んでいかなければならないということが、私には非常に印象深いメッセージとして届きました。本当にありがとうございました。

そして、先ほど吹野さんも言われましたように、会場に約50名、そしてオンライン配信によって約１００名近くの皆さまが、今日の講演を視聴して下さいました。さらに、この講演はYouTubeで公開されます。皆さまのお友達で、この講演を聞きたいという方がおられましたら、ご案内ください。

また、コロナ感染拡大が懸念されるなか、本日このようにオンラインの技術を駆使して、東京―京都―淀江と3元を繋いで講演会が開催できましたのは、中海テレビ放送様の技術的なサポートのおかげでありました。深く御礼申し上げます。

この「古代淀江ロマン遺跡回廊」推進会議は、今日一歩を踏み出したところでございます。これからは、先ほど言いましたように地域の皆さまのご意見を聞きながら、いろいろと「古代淀江ロマン遺跡回廊」構想の肉付けをしていきたいと思います。

それから最後に先生も仰ってましたように、子供たちにもこの淀江の土地に素晴らしいものがたくさんあるということ、先祖から伝わってきた遺跡、暮らし、そして淀江町のロケーションの魅力を、もっともっと伝えたいと思います。いま子どもはゲームで遊んでいますけれども、もっと自然の中に出て、この土地の歴史・伝統が刻まれた我々の生活空間を子供たちに体験させてやりたいと思っております。

今日は「淀江の遺跡の魅力と可能性」を考えてみようということで、この講演会にたくさんの方にお越しいただきました。本当にありがとうございます。この辺で今回の「古代淀江ロマン遺跡回廊」発足記念講演会を閉じたいと思います。
　皆さま、長時間お付きあいいただきまして、ありがとうございました。

「古代淀江ロマン遺跡回廊」連続講演会のお知らせ

◆10月23日(土)14時~15時30分　オンライン講演会
演題　**「広域野外博物館（エコ・ミュージアム）と淀江」**
講師　**矢野和之氏**（㈱文化財保存計画協会代表取締役、(一社）日本イコモス国内委員会事務局長、日本遺跡学会副会長）

◆11月27日(土)14時~15時30分　対面&オンライン講演会
演題　**「淀江から語る　歴史を活かしたまちづくり」**
講師　**西村幸夫氏**（東京大学名誉教授、国学院大学教授、(一社）日本イコモス国内委員会前委員長）
講演会場：米子商工会議所7F大会議室

◆12月9日(木)19時30分~21時　オンライン講演会
演題　**「文化政策と地域活性化を考える**
～ポスト・コロナの視点から」
講師　**中川幾郎氏**（帝塚山大学名誉教授、日本文化政策学会初代会長）

＊詳細は下記HPでご確認ください。

「古代淀江ロマン遺跡回廊」HP

https://kodaiyodoe.wixsite.com/yodoe

この講演会は
YouTubeで視聴できます

「古代淀江ロマン遺跡回廊」チャンネル

「古代淀江ロマン遺跡回廊」推進会議設立趣意書

米子市淀江町には縄文時代から弥生、古墳、飛鳥、奈良時代にかけて、全国的にも注目される遺跡や古墳が集中しています。縄文時代には海が入り込み、大山山系の湧水にも恵まれて人々の生活を豊かにしたものと思われます。弥生時代に入ると淀江湾は天然の良港となって九州や大陸との交易で日本海の海上交通の拠点として栄えました。従来注目されてきた東側の妻木晩田、上淀廃寺に加えて、西側の小波地区、壺瓶山にも光を当て数百万坪に及ぶ、わが国最大級の遺跡群として整備します。さらに森林、湧水をはじめ自然資産を修復し、孝霊山、大山をはじめ弓ヶ浜半島、島根半島、美保湾、淀江平野と360度の雄大な自然景観を楽しみながら散策したいと願っています。

また明治維新後の産業・農地開発で大部分の古墳が壊されてきた小波地区に残っている最後の前方後円墳、百塚88号墳は私たち山陰人、米子市民にとっての歴史・文化の証でもあり、先祖の魂の象徴でもあります。88号墳を保存するか更地に戻すかは我々のみならず後世の子孫が選択する資産として残しておくことが我々の務めではないでしょうか。

気候変動、地球環境劣化、コロナ・パンデミックなどで世界は揺れ動いています。少子化も大きな問題であります。しかし脚下照顧、まずは地元のロマン遺跡回廊を歩き、大自然の環境に身を置き、人類の過去・現在・未来、そして地球の将来はいかにあるべきか大いに考え、議論してまいりたいと思います。「古代淀江ロマン遺跡回廊」の構想は自然環境（湧水や景観を含む）や遺跡等の歴史遺産を大切にし、今ある資源を〝財〟を生み出す資産に変えていく事業でもあります。この構想の趣旨をご理解賜り、皆様のご賛同、ご協力をお願い申し上げます。

（※詳細はＨＰをご参照ください。）

淀江へのアクセス

◆自動車の場合
米子自動車道米子インターから、国道９号線経由で約20分、山陰自動車道で淀江インターまで約５分

◆JRの場合
米子駅から淀江駅まで約15分（JR淀江駅にはタクシーが常駐していないので、あらかじめ近隣のタクシー会社にお問い合わせください）

◆飛行機の場合
米子空港からJR米子駅まで連絡バス約30分 → JR淀江駅へ
米子空港から淀江まで車で約50分（国道431号線・９号線経由）

古代淀江ロマン遺跡回廊ブックレット 1
淀江の遺跡の魅力と可能性

2021年10月１日

編集・発行　「古代淀江ロマン遺跡回廊」推進会議
E-mail：kodaiyodoe@gmail.com

発　売　今井出版

印　刷　今井印刷株式会社